KIESZONKOWY PRZEWODNIK

LONDYN

od środka

KU-642-417

POZNAJ SWÓJ ŚWIAT

Discovery CHANNEL

WYDAWNICTWO
RM

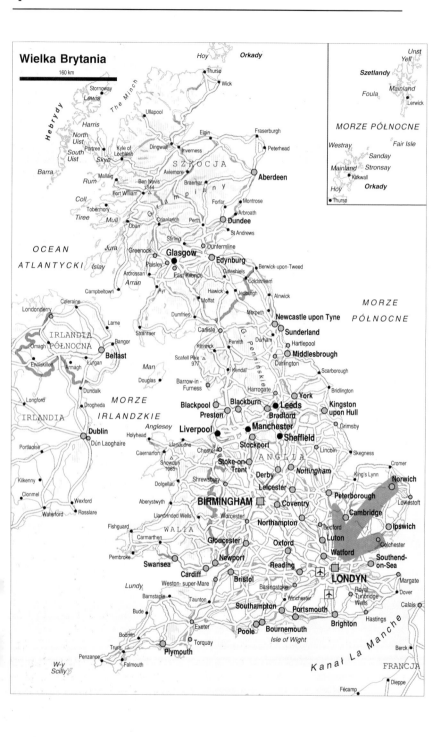

Wielka Brytania

160 km

Szetlandy

Unst
Yell
Foula
Mainland
Lerwick

MORZE PÓŁNOCNE

Westray
Fair Isle
Sanday
Mainland
Stronsay
Kirkwall
Hoy
Orkady
Thurso

Hoy
Orkady
Thurso
Wick

Hebrydy
Lewis
Stornoway
The Minch
Ullapool
Fraserburgh
Harris
North Uist
Elgin
Peterhead
South Uist
Portree
Dingwall
Inverness
Kyle of Lochalsh
Skye
Barra
Rum
Mallaig
Aviemore
SZKOCJA
Aberdeen
Coll
Ben Nevis 1344
Fort William
Braemar
Tobermory
Tiree
Mull
Oban
Crianlarich
Perth
Forfar
Montrose
Arbroath
Dundee
St Andrews
Jura
Stirling
Dunfermline
OCEAN ATLANTYCKI
Greenock
Glasgow
Edynburg
Islay
Paisley
East Kilbride
Berwick-upon-Tweed
Galashiels
Ardrossan
Arran
Ayr
Coldstream
Campbeltown
Hawick
Jedburgh
Alnwick
Moffat
Coleraine
Dumfries
Morpeth
MORZE PÓŁNOCNE
Londonderry
Newcastle upon Tyne
Larne
Carlisle
Sunderland
IRLANDIA PÓŁNOCNA
Stranraer
Penrith
Durham
Hartlepool
Omagh
Bangor
Keswick
Middlesbrough
Enniskillen
Armagh
Lurgan
Belfast
Scafell Pike 977
Kendal
Darlington
Scarborough
Man
Longford
Douglas
Barrow-in-Furness
Harrogate
Bridlington
IRLANDIA
MORZE IRLANDZKIE
York
Drogheda
Blackpool
Blackburn
Leeds
Kingston upon Hull
Dublin
Anglesey
Preston
Bradford
Grimsby
Holyhead
Liverpool
Manchester
Portlaoise
Dún Laoghaire
Llandudno
Stockport
Sheffield
Caernarfon
Chester
Lincoln
Kilkenny
Snowdon 1085
Stoke-on-Trent
ANGLIA
Skegness
Clonmel
Shrewsbury
Derby
Nottingham
King's Lynn
Cromer
Wexford
Dolgellau
Leicester
Norwich
Waterford
Rosslare
Aberystwyth
BIRMINGHAM
Coventry
Peterborough
Lowestoft
Fishguard
Llandrindod Wells
Worcester
Cambridge
Ipswich
WALIA
Northampton
Bedford
Carmarthen
Gloucester
Luton
Colchester
Pembroke
Oxford
Watford
Swansea
Newport
Reading
Southend-on-Sea
Cardiff
Bristol
LONDYN
Margate
Lundy
Weston-super-Mare
Basingstoke
Royal Tunbridge Wells
Dover
Barnstaple
Taunton
Winchester
Calais
Bude
Southampton
Portsmouth
Brighton
Hastings
Bodmin
Exeter
Poole
Bournemouth
Kanał La Manche
Truro
Torquay
Isle of Wight
Berck
Penzance
Falmouth
Plymouth
W-y Scilly
FRANCJA
Fécamp
Dieppe

Parę słów
o przewodniku

Ten przewodnik łączy w sobie zainteresowania i entuzjazm dwóch znanych na całym świecie źródeł informacji: wydawnictwa Insight Guides, którego publikacje od 1970 r. są wzorem dla wydawców przewodników turystycznych, oraz Discovery Channel, najbardziej znanego na świecie producenta dokumentalnych programów telewizyjnych. Zaprezentowano w nim najciekawsze w Londynie obiekty do zwiedzania na 17 trasach, doskonale zaplanowanych przez dwoje największych znawców tematu, współpracujących z wydawnictwem Insight Guides.

Od katedry św. Pawła po Kopułę Milenijną, od oficjalnego stylu Pałacu Westminsterskiego po modną dzielnicę Notting Hill – choć mocno tkwi w historii, Londyn należy do najszybciej zmieniających się i najbardziej ekscytujących miast świata. Tak jawi się również w pierwszej dekadzie nowego tysiąclecia. Aby w pełni przedstawić zarówno jego aspekt historyczny, jak i współczesny, powierzyliśmy zadanie napisania tego przewodnika przedstawicielom dwóch różnych pokoleń. Powstał w ten sposób fascynujący portret metropolii. Czy będzie to Wasza pierwsza wizyta w Londynie, czy też setna, odkryjecie miasto przechodzące nadzwyczajny proces odnowy.

Roland Collins jest pisarzem i historykiem, który mieszka w Londynie od niepamiętnych czasów. Interesuje go przede wszystkim historia społeczna, ale jest również cenionym artystą, wystawiającym swe prace w Londynie. Mówi on o mieście z czułością: „Jesteśmy w bliskim związku od ponad 60 lat. Choć nic sobie nie przyrzekaliśmy, nadal bardzo się kochamy". Blask tej miłości widoczny jest w ułożonych przez niego trasach pieszych.

Beverly Harper także jest wielką entuzjastką wszystkiego, co się wiąże z Londynem. Szczególnie pasjonują ją zakupy, jedzenie w lokalach i nocne życie miasta. Autorka posiada gruntowną wiedzę o tym, co modne dziś i co trwa zawsze w tym wielkim mieście. Z jednego i z drugiego wybrała najciekawsze. Mamy nadzieję, że jej rady pomogą Wam rozkoszować się oglądaniem, smakowaniem i doświadczaniem prawdziwego Londynu.

HISTORIA, KULTURA

Londyn rzymski, wielka zaraza, wielki pożar – krótki rys najważniejszych wydarzeń w burzliwych dziejach Londynu

. . . . **11**

ZWIEDZANIE MIASTA

Sześć całodniowych tras zwiedzania zapoznających z największymi atrakcjami turystycznymi miasta oraz siedem tras półdniowych dla osób swobodniej dysponujących czasem.

1. Covent Garden i Soho. Centrum modnego Londynu, pełne restauracji, teatrów i sklepów, oraz londyńskie Chinatown **21**

2. Trasa królewska. Londyn królewski – od Trafalgar Square przez Whitehall, Horse Guards po Downing Street 10, a następnie przez St James's Park do rezydencji rodziny królewskiej – Buckingham Palace **25**

3. West End. Główne centrum handlowe Londynu – tradycyjne pasaże obok nowoczesnych domów towarowych . . **29**

4. Tower i City. Od Tower of London do City – dzielnicy finansów. W Tower odrobina historii, przy murze rzymskim – archeologii, w salach giełdy – współczesnej techniki, a także zachwycający budynek Lloyda **33**

5. South Bank. Spacer brzegiem rzeki z najnowszymi atrakcjami Londynu po drodze, m.in. Okiem Londynu i Vinopolis oraz Tate Gallery of Modern Art i zrekonstruowanym teatrem Globe **37**

6. Wojna i pokój. Powrót do czasów II wojny światowej w Imperial War Museum, wizyta w gmachu Parlamentu i Westminster Abbey, a na koniec zwiedzanie Tate Gallery . . . **41**

7. Chelsea. Londyn elegancki, najstarszy ogród w mieście oraz domy słynnych pisarzy **45**

8. Belgravia, Knightsbridge i South Kensington: Początek trasy na Hyde Park Corner, potem spacer po wspaniałej dzielnicy Belgravia, zwieńczony zakupami u Harrodsa i wizytą w którymś z trzech wielkich muzeów. **47**

9. Hyde Park. Relaksujący spacer po jednym z najsłynniejszych w świecie parków, z jeziorkiem Serpentine, do Kensington Palace **49**

10. Notting Hill. Najmodniejsza część Londynu, przechadzka po Portobello Road **52**

11. Regent's Park. Wizyta w londyńskim ZOO, w galerii Madame Tussaud's i Planetarium – trasa szczególnie atrakcyjna dla dzieci **53**

12. Fleet Street, Inns of Court, Inns of Chancery. Londyn prawniczy i wydawniczy, Muzeum Johna Soane'a i British Museum **55**

13. St Paul's Cathedral i Smithfield Początek trasy to wspaniała katedra Wrena, dalej targ mięsny Smithfield i uliczki z czasów Dickensa **58**

WYCIECZKI POZA CENTRUM

Wycieczki obejmują obiekty poza centrum Londynu: na wschód – w dół Tamizy do Kopuły Milenijnej i Greenwich, na zachód – do Kew Gardens i Hampton Court Palace oraz na północ do Hampstead, „najładniejszej wsi" w Londynie **61-67**

W WOLNYM CZASIE

W drugiej części przewodnika polecamy miejsca zakupów, posiłków i rozrywki. **69-81**

KALENDARZ IMPREZ

Informacje na temat najważniejszych uroczystości oraz imprez kulturalnych, sportowych i innych, organizowanych co roku w Londynie. **82-83**

INFORMACJE PRAKTYCZNE

Ta część przewodnika zawiera wszelkie informacje niezbędne podczas wizyty w Londynie: od taksówek po napiwki, przepisy celne i wypożyczanie samochodów, a także adresy polecanych hoteli. **85-99**

MAPY I PLANY

Wielka Brytania **4**	*Belgravia, Knightsbridge*	
Londyn – centrum . . **18-19**	*i South Kensington*. . **48**	
Covent Garden i Soho . . **22**	*Hyde Park* **50-51**	
Trasa królewska **27**	*Notting Hill* **52**	
West End **31**	*Regent's Park* **54**	
Tower i City **33**	*Fleet Street, Inns of Court,*	
South Bank **38-39**	*Inns of Chancery*. . . **56**	
Wojna i pokój **42**	*St Paul's Cathedral*	
Chelsea **45**	*i Smithfield*. **59**	
	Londyńskie metro . . . **86**	

INDEKS

strony **101-104**

Na stronach 2-3: Fontanna z delfinem przy Tower Bridge
Na stronach 8-9: Bogato zdobiony gmach Parlamentu

Historia, kultura

Na górującym nad Tamizą Tower Hill zachowały się zadziwiająco duże fragmenty *Londinium*, miasta założonego 2000 lat temu przez napierających z południa Europy budowniczych imperium, czyli Rzymian. Zaprowadzili oni cywilizację tam, gdzie jej dotąd nie było; zaświecili lampę w celtyckich ciemnościach.

Na Trinity Square nadal dominuje fragment muru zbudowanego przez Rzymian w celu obrony miasta. W innych miejscach mur ten wpleciono w wiktoriańską zabudowę lub ukryto pod nowoczesnymi ulicami. Jako stolica kraju nazwanego przez Rzymian Brytanią, Londyn otrzymał całą galerię wspaniałych budowli publicznych, których odkopane pozostałości wystawione są w Muzeum Londynu (*patrz trasa 4: Tower i City*).

Pod koniec III w. Londyn zaczął odczuwać skutki destabilizacji i walk na kontynencie, które zakończyły się w 410 r. wycofaniem z Brytanii oddziałów rzymskich, zagrożonych w innych częściach imperium przez hordy Germanów z północnej Europy. Tkanka miasta legła w gruzach, lecz miało ono powstać na nowo i odzyskać znaczenie pod rządami Sasów.

Przez 200 lat nie było żadnej wzmianki o Londynie w piśmiennictwie, aż do czasów, gdy przysłano św. Augustyna, by założył tu biskupstwo, i gdy król Ethelbert ufundował pierwszą katedrę – św. Pawła. Z architektury Anglosasów pozostało niewiele, lecz o ich talencie rzemieślniczym świadczą przedmioty z wykopalisk w Sutton Hoo, wystawione w British Museum.

Mimo odporu, jaki początkowo dawał Duńczykom król Wessexu Alfred, który przezornie naprawił rzymskie mury obronne, Londyn ostatecznie poddał się najeźdźcom. Swen, a po nim Kanut, koronowali się w swym pałacu w Aldermanbury. Po objęciu tronu w 1042 r. przez Edwarda Wyznawcę dwór przeniesiono do Westminsteru i rozpoczęto odbudowę opactwa z X w. Od tej pory odbywały się w nim koronacje, śluby i pogrzeby królewskie.

Zwycięstwo Wilhelma Zdobywcy nad Sasami w 1066 r. zapoczątkowało napływ kultury, która zmieniła sztukę, architekturę, literaturę i prawa tutejszego narodu. Wilhelm inwestował głównie w budowle obronne. W 1097 r. ukończono Białą Wieżę pośrodku twierdzy Tower. Jej monolityczną masę przyćmiły z czasem mury i bastiony. Po pożarze w 1097 r. podjęto budowę nowej katedry. W 10 lat później rozpoczęła się budowa Westminster Hall w Pałacu Westminsterskim.

Miasto pęka w szwach

Pod panowaniem Normanów Londyn rozwijał się szybko jako centrum handlu. W ciągu kolejnych dwóch wieków wyrosło londyńskie City z typową szachownicą wąskich uli-

Z lewej: Covent Garden na obrazie Phoebusa Levena z 1864 r.
Z prawej: Relikt z czasów rzymskich w Muzeum Londynu

czek. Wewnątrz murów miejskich tłoczyła się rosnąca w szybkim tempie ludność Londynu. W XII w. liczba mieszkańców osiągnęła 25 tysięcy. Londyńczycy mieszkali w domach o drewnianej konstrukcji ryglowej, modlili się w ponad 100 kościołach parafialnych, a kupowali na Stocks Market, gdzie obecnie stoi Mansion House, oraz Cheapside – wielkim targu pod gołym niebem.

Jeden gmach publiczny z początku XV w. przetrwał, choć z wieloma uzupełnieniami, nowym dachem i ścianą frontową, by świadczyć o tym, jak ważna dla miasta była ochrona interesów kupców. To Guildhall, siedziba zarządu miasta i główne miejsce spotkań tych, którzy mieli nad nim władzę.

Na zachód od City prawnicy skupili się w Inns of Court, stanowiących rodzaj kolegiów uniwersyteckich, zwanych Temple Inn, Lincoln's Inn, Clifford's Inn i Gray's Inn. Studiował tam prawdopodobnie poeta Geoffrey Chaucer, autor *Opowieści kanterberyjskich*, który później piastował odpowiedzialne funkcje na dworze królewskim. Miasto liczyło wówczas około 50 tysięcy mieszkańców. W 1348 r. „czarna śmierć" zredukowała ten alarmujący przyrost ludności, jednak w połowie XIV w. Londyn wykroczył znacznie poza swe pierwotne mury.

Literatura i budownictwo

Wzrostowi liczby ludności towarzyszył wzrost wykształcenia. W 1476 r. dawny czeladnik kupca bławatnego, William Caxton, założył drukarnię w Westminsterze, w której wydrukował około 80 książek, w tym *Opowieści kanterberyjskie* i *Morte D'Arthur* Malory'ego. Na Fleet Street niejaki Wynkyn de Worde wydrukował pierwszą książkę po angielsku i nieświadom tego, zapoczątkował związek tej ulicy z masowym rozpowszechnianiem kultury poprzez słowo drukowane.

W architekturze, król Henryk VII rozpoczął w 1503 r. w Opactwie Westminsterskim dobudowę kaplicy w stylu późnego gotyku pionowego, przeklinaną później przez wielkiego architekta Christophera Wrena jako „koronkowa robota". Następny władca, Henryk VIII, wprowadził bardziej dalekosiężne zmiany w życiu Londynu: odrzucił zwierzchnictwo papieża nad kościołem w Anglii. Przyniosło mu to zresztą znaczne korzyści finansowe dzięki rozwiązaniu klasztorów w 1536 r. i przejęciu ich dochodów oraz majątku. Klasztory w mieście zostały wkrótce zastąpione przez prywatne rezydencje. Na miejscu szpitala wzniesiono Pałac św. Jakuba. Klasztor kartuzów zamieniono na pałacyk lor-

Powyżej: Średniowieczna rycina przedstawiająca uwięzienie Karola Orleańskiego, pojmanego pod Azincourt w 1415 r.; twierdza Tower, w tle London Bridge

da Northa, a rezydencja kardynała Wolseya stała się zaczątkiem pałacu Whitehall.

Wraz z wstąpieniem na tron w 1558 r. królowej Elżbiety I, Anglia wkroczyła w „złoty wiek". Był to najwspanialszy okres w historii tego kraju, a zarazem Londynu. Wyjątkowo zasłużył się wówczas pewien zasymilowany w Londynie przybysz z prowincji o nazwisku Shakespeare, czyli Szekspir. Zakazano mu wprawdzie wystawiania sztuk w City, ale on – wraz z innym dramatopisarzem, Benem Jonsonem – założył teatr naprzeciwko katedry św. Pawła, na „gorszym", południowym brzegu Tamizy, wśród domów publicznych i aren do walk zwierząt. Kryte strzechą, okrągłe w kształcie teatry Hope, Rose i Globe przetrwały w nazwach ulic Bankside, a szekspirowski teatr Globe został zrekonstruowany i ponownie otwarty w 1996 r.

W związku ze wzrostem liczby ludności z około 50 tysięcy w 1530 r. do 225 tysięcy w końcu XVI w., za panowania Elżbiety I wprowadzono pierwsze prawa dotyczące planowania miasta, by ograniczyć niekontrolowaną zabudowę. Praw tych nie udawało się jednak egzekwować, a dawne tereny klasztorów i ich ogrody zapełniały się gęsto lichymi kamienicami do wynajęcia. Królowej Elżbiecie trudno było wprawdzie dorównać, ale jej następca Jakub I dokonał mądrego wyboru, zatrudniając Inigo Jonesa jako nadwornego architekta. Interpretując po swojemu czystość stylu włoskiego architekta Palladia, Jones stworzył niepowtarzalną wizję architektoniczną Queen's House w Greenwich. Banqueting House w Whitehall, w którym po raz pierwszy w Londynie zastosowano kamień portlandzki, oraz Queen's Chapel w St James's Palace są do dziś świadectwem nowatorskiego charakteru budowli tego architekta. W Covent Garden zaprojektował on prototyp typowego londyńskiego placu, który jednak stracił swój charakter z powodu odbywającego się na nim targu oraz utraty przyległych domów z podcieniami. Nad zachodnią stroną placu nadal dominuje kościół św. Pawła.

Zaraza i pożar

Wielka zaraza w 1665 r. dokonała tego, czego nie zdziałałyby żadne prawa: zahamowała przyrost ludności w Londynie. Pochowano wówczas w masowych grobach 100 tysięcy mieszkańców. Rok później ogień strawił City, niszcząc 13 200 domów, 87 kościołów i hale 44 gildii. Doszczętnie spłonęła także gotycka katedra św. Pawła.

Bogaci mieszkańcy miasta, którzy uciekli na wieś, już nie wrócili do City. Coraz więcej ludzi osiedlało się na zachodnich obrzeżach miasta, gdzie właściciele ziemscy, np. książę Bedfordu, udostępniali ziemię pod budowę domów. Rajcy City of London podjęli wyzwanie odbudowy miasta, powierzając ją głównemu geodecie Korony Brytyjskiej, Christopherowi

Z prawej: Królowa Elżbieta I panowała w latach 1558-1603

Wrenowi. Jednak jego wizja miasta w stylu Paryża – z bulwarami i szerokimi nabrzeżami, zamiast stłoczonych małych pirsów – nie została zrealizowana ze względu na ogromne zapotrzebowanie na budynki mieszkalne, sklepy i warsztaty.

Straciwszy szansę na odbudowę w nowym kształcie, Londyn odrodził się według starego planu, a potencjał twórczy Wrena skierowany został na odbudowę katedry i 50 kościołów. Kościoły te, często wznoszone na ciasnych i nieregularnych terenach, każdy z wieżą lub iglicą, niepowtarzalnym charakterem, są do dziś główną ozdobą krajobrazu City, choć ich liczba znacznie zmalała na skutek zniszczeń i zaniedbania. Budowa katedry rozpoczęła się w 1675 r., trwała 40 lat, a jej rezultat został oficjalnie uznany za arcydzieło.

Tymczasem budowa domów pod wynajem przekształcała dawne tereny rezydencji i prywatnych ogrodów między Strandem a rzeką, jak również Holbornu, Soho, Mayfair i St James's. Tylko żelazne ogrodzenie Hyde Parku powstrzymało pochód murarzy przed połączeniem Londynu z wsią Kensington.

W XVIII w. Londyn przybierał nowy kształt, charakterystyczny dla ulic i placów Bloomsbury i Mayfair. Naprzeciwko palladiańskiego w stylu Banku Anglii w City zbudowano Mansion House, oficjalną siedzibę burmistrza. Nad Whitehall zapanował rząd. Dawny pałac, opuszczony przez dwór królewski, zastąpiły gmachy publiczne. Wzniesiono Horse Guards i budynki Admiralicji. Lordowie mieszkali nad swymi biurami lub tuż obok. Ministerstwo Skarbu przeniosło się na teren tudorowskiej areny do walk kogutów.

Rozprzestrzenianie się miasta

Przeprowadzony w 1801 r. pierwszy spis ludności wykazał, że liczba londyńczyków wynosi prawie milion. Zaczęli już oni opuszczać City i zaludniać Westminster, Holborn, St Marylebone oraz St Pancras, a po drugiej stronie rzeki Southwark, Lambeth i Bermondsey. Londyn odwracał się tyłem do East Endu, który stał się punktem docelowym cudzoziemców uciekających przed prześladowaniami. Przywozili oni znajomość nowych rzemiosł: hugenoci zapoczątkowali produkcję jedwabiu w Spitalfields, Żydzi z Rosji i Polski szyli buty, odzież i wytwarzali meble na terenach leżących na wschód od Aldgate. W tym samym czasie budowa doków wypierała całe gminy. W 1825 r. pod budowę jednego

tylko doku św. Katarzyny zburzono 1250 domów, których mieszkańcy musieli przenieść się do sąsiednich osiedli. W ten sposób Londyn dorobił się slumsów.

Północ i zachód Londynu w początkach XIX w. prezentowały się zupełnie inaczej. Rozbudowa dzielnic mieszkalnych odzwierciedlała tam dobrą koniunkturę. Właściciele rezydencji i przestrzennych parków uświadomili sobie, że potrzeby rosnącej liczby ludności zwiększają wartość ich posiadłości. Jedno z największych przedsięwzięć mieszkaniowych zrealizowano na gruntach Marylebone Park, należących do Korony. Architekt księcia regenta, John Nash, zaprojektował tam miasto-ogród z willami i domami tarasowymi dla bogatych w Regent's Park, a triumfalna droga miała go łączyć z pałacem księcia Carlton House obok Charing Cross. W rezultacie kompromisu planowane 26 domów ograniczono do 8, a z całego ronda wykonano połowę, nazwaną Park Crescent. Sam Carlton House zburzono i zastąpiono nowym budynkiem Carlton House Terrace.

Londyn w ruchu

Od jakiegoś czasu władze miasta nurtował problem usprawnienia transportu, a głównie przeprawy przez rzekę. Na początku XIX w. do istniejących mostów Westminster i Blackfriars dołączyły Waterloo, Southwark i Vauxhall. Średniowieczny London Bridge zastąpiono wreszcie nowym, zbudowanym nieco dalej w górę rzeki. Jego budowę rozpoczęto w 1831 r.

Środkiem transportu kołowego był nadal wóz konny. Choć konny omnibus znacznie zwiększył mobilność londyńczyków, całkiem inny środek lokomocji miał wkrótce zmienić oblicze miasta. W 1841 r. kolej Blackwall-Londyn przywiozła na Fenchurch Street pierwszych pasażerów dojeżdżających do City. Większość późniejszych stacji budowano dalej od centrum, lecz i tak ostatni odcinek trasy kolei żelaznej, wiodący przez tereny zabudowane, spowodował zburzenie tysięcy domów i powstanie rozległych slumsów.

Konieczność wznoszenia wielkich dworców kolejowych skłoniła architektów do zastosowania w nich szkła i żelaza. Dalszym krokiem naprzód był Crystal Palace w Hyde Parku, wybudowany przez Josepha Paxtona na Wielką Międzynarodową Wystawę w 1851 r. Jego projekt na kawałku bibuły jest równie znany jak szkice Leonarda da Vinci. Wiktoriańska Anglia pokazała co potrafi ponad sześciu milionom zwiedzających, a przy wejściu zainkasowała ponad 400 ty-

Z lewej: Regent Street była nieodłączną częścią wielkiego projektu dla Londynu Johna Nasha
Powyżej: Pierwsza kolej podziemna na świecie

sięcy funtów. Z zysków tych małżonek królowej Wiktorii, książę Albert, wybudował Muzeum Wiktorii i Alberta w South Kensington.

Pożar, który w 1834 r. zniszczył stary Pałac Westminsterski, przyczynił się do generalnej przebudowy obiektu. Nowe budynki Parlamentu wyglądały może całkiem inaczej, ale mając do wyboru dwa style – elżbietański i gotycki, dwaj współpracujący architekci, Charles Barry i Augustus Pugin, olśnili wszystkich swymi nadzwyczajnymi osiągnięciami w stylu neogotyckim. Do 1847 r. ukończono budowę Izby Lordów, w 1858 r. – Izby Gmin i wieży Big Bena, a dwa lata później Wieży Wiktorii. Wiktoriańskie wiadukty i bulwary: Embankment, Victoria Street i Chelsea Embankment odciążyły ruch na ciasnych ulicach. Shaftesbury Avenue i New Oxford Street zajęły tereny slumsów St Gile's. Dzięki filantropijnym przedsięwzięciom, np. Amerykanina George'a Peabody'ego, powstawały domy dla najbiedniejszych. Nowa Rada Hrabstwa Londynu zajęła się problemami nadmiernie rozrastającego się miasta. Problemy te jeszcze bardziej pogłębiły straszliwe zniszczenia wojenne w XX w.

Londyn powojenny

Bombardowania podczas II wojny światowej zrównały z ziemią ogromne połacie East Endu, którego ludność została ewakuowana na wieś. Nie było szansy na stylową odbudowę. W latach 50. i 60. XX w. w miejscach po zburzonych kwartałach powstawały wysokie bloki mieszkalne i biurowce pozbawione charakteru. Dziś są one rozbierane, a zastępujące je ciekawe architektonicznie budynki zmieniają sylwetkę miasta. Od lat 80. XX w. przebudowywano Docklands. Wyrosły tam biurowce, z najwyższym budynkiem Londynu – Canary Wharf, oraz domy z mieszkaniami dla *yuppies*. Nawet sama „mila kwadratowa" pierwotnego City, kolebki narodowej wspólnoty biznesu, zawsze uważana za konserwatywną, też nie uchroniła się od zmian. Przyzna to każdy, kto widział budzący kontrowersje gmach Lloyda projektu Richarda Rogersa (*patrz trasa 4: Tower i City*) lub nowo wybudowany biurowiec towarzystwa reasekuracyjnego Swiss Ree.

Dzięki sporym funduszom z Loterii Narodowej i tendencjom do uczczenia nowego tysiąclecia, pod koniec lat 90. XX w. zrealizowano kilka wielkich przedsięwzięć publicznych, m.in. generalny remont Opery Królewskiej, budowę Galerii Sztuki Nowoczesnej – Tate Modern czy Kopuły Milenijnej w Greenwich. Dzisiejszy Londyn znów przenika atmosfera optymizmu, jakiej brakowało przez kilka dziesiątków lat. Potrzebny jest tylko dobry gospodarz; londyńczycy wierzą, że wybrany w 2000 r. burmistrz Ken Livingstone spełni pokładane w nim nadzieje.

Powyżej: Wewnątrz gmachu Lloyda

WAŻNE WYDARZENIA HISTORYCZNE

43 Rzymianie zakładają Londinium.

60 Boadicea podpala i łupi miasto.

1065 Edward Wyznawca konsekruje Opactwo Westminsterskie.

1066 Wilhelm Zdobywca koronowany w Opactwie Westminsterskim.

1097 Ukończenie budowy Białej Wieży w twierdzy Tower.

1190 Wybór pierwszego burmistrza (lorda mayora) Londynu.

1215 Podpisanie Wielkiej Karty Swobód.

1265 Pierwszy Parlament angielski.

1269 Poświęcenie obecnego Opactwa Westminsterskiego.

1348 Początek epidemii „czarnej śmierci", która zabiera 60 tysięcy ofiar – połowę ludności Londynu.

1476 Założenie pierwszej drukarni Caxtona w Westminsterze.

1509 Henryk VIII buduje Pałac św. Jakuba.

1536 Henryk VIII rozwiązuje klasztory.

1558 Elżbieta I wstępuje na tron.

1585 William Shakespeare przybywa do Londynu.

1598 Budowa teatru Globe.

1605 Guy Fawkes usiłuje wysadzić w powietrze gmach Parlamentu.

1625 Inigo Jones kończy budowę Banqueting House.

1631 Budowa Covent Garden.

1635 Ukończenie budowy Domu Królowej projektu Inigo Jonesa w Greenwich (obecnie Muzeum Morskie).

1649 Egzekucja Karola I w Banqueting House.

1660 Restauracja monarchii; królem zostaje Karol II.

1665 Wielka zaraza zabiera 100 tysięcy ludzi.

1666 Wielki pożar niszczy połowę zabudowy Londynu.

1666-1723 Christopher Wren odbudowuje St Paul's Cathedral i 51 innych kościołów Londynu.

1806 Nelson pochowany w katedrze.

1815 John Nash projektuje Regent's Park, Regent Street i The Mall.

1824 Fundacja National Gallery.

1829 Pierwsze siły policyjne i pierwszy omnibus konny.

1835 Rozpoczęcie budowy Parlamentu.

1836 Otwarcie pierwszej kolei pasażerskiej w Londynie.

1837 Tron obejmuje królowa Wiktoria; oficjalną rezydencją królewską zostaje Pałac Buckingham.

1843 Wzniesienie Kolumny Nelsona.

1847 Ukończenie budowy British Museum.

1851 Wielka Międzynarodowa Wystawa w Hyde Parku.

1863 Otwarcie pierwszego odcinka londyńskiego metra.

1894 Powstanie Tower Bridge.

1905 Otwarcie sklepu Harrodsa.

1914-1918 I wojna światowa.

1926 Strajk generalny.

1939-1945 II wojna światowa; bombardowania niszczą większą część City i East Endu.

1951 Festiwal Wielkiej Brytanii; otwarcie Festival Hall.

1952 Wstąpienie na tron Elżbiety II.

1956 Podpisanie ustawy o czystym powietrzu.

1973 Otwarcie nowego mostu – London Bridge.

1976 Otwarcie National Theatre.

1986 Rozwiązanie Rady Wielkiego Londynu.

1991 Ukończenie budowy Canary Wharf, najwyższego gmachu Londynu, w odbudowanym rejonie Docklands.

1994 Eurotunel łączy Londyn z Brukselą i Paryżem.

1996 Otwarcie przy Bankside odbudowanego teatru szekspirowskiego Globe.

1997 Pogrzeb księżnej Diany, gromadzi tysiące ludzi na ulicach Londynu.

1999 Otwarcie ogromnej Kopuły Milenijnej w Greenwich.

2000 Burmistrzem Londynu zostaje przewodniczący rozwiązanej Rady Wielkiego Londynu – Ken Livingstone. Otwarcie galerii Tate Modern.

2004 Ukończenie budowy biurowca New Swiss Ree zwanego „korniszonem".

historia, kultura

Londyn

500 m

Zwiedzanie
miasta

L ondyn należy do miast, które naprawdę poznać można jedynie pieszo. Pierwsze sześć tras w tym przewodniku prowadzi do najważniejszych obiektów, które pragnie zobaczyć każdy turysta. Kolejne siedem zaplanowano dla tych, którzy mają więcej czasu na zwiedzanie. Pokazują one niektóre z najbardziej polecanych przez autorów rejonów miasta. W części wycieczkowej udajemy się wzdłuż Tamizy do muzeów i pałaców Greenwich i Hampton Court, do Kew Gardens oraz do Hampstead, najpiękniejszego i najbardziej zielonego przedmieścia Londynu.

1. COVENT GARDEN I SOHO *(patrz plan, s. 22)*

Okolice Covent Garden – z ulicznymi grajkami, sklepami i dobrymi restauracjami, oraz modne i jednocześnie nieco zapuszczone Soho, z londyńskim Chinatown. Zakończenie na Leicester Square.

Początek trasy: stacja metra Tottenham Court Road (linie Northern i Central).

Odchodzimy od widocznego zewsząd wieżowca Centre Point i podążamy ulicą St Giles High Street ku zacisznemu kościołowi **St Giles in the Fields**. Odbudowany w latach 30. XVIII w. przez Henry'ego Flitcrofta, naśladuje styl kościoła St Martin-in-the-Fields Wrena i Gibbsa. Ma piękne wnętrze w delikatnych odcieniach barw, ze złoceniami. Znajdziemy tu pomnik tłumacza Homera, George'a Chapmana, zaprojektowany przez jego przyjaciela, Inigo Jonesa.

Wyobraźmy sobie, że wiozą nas skutych kajdanami na Tyburn Tree. W najzwyklejszym pubie **The Angel** obok kościoła pozwolą nam wypić ostatni łyk piwa. Była to ostatnia gospoda przy wiejskiej drodze wiodącej do szubienicy w Marble Arch.

Idziemy dalej do skrzyżowania z Shaftesbury Avenue. Naprzeciw, po prawej ulica tylko dla pieszych, **Neal Street**. Panuje tu atmosfera nowego Covent Garden. W okolicy liczne sklepy i warsztaty rzemieślnicze, a w nich wschodnie instrumenty, obuwie z naturalnych tworzyw, koszyki i latawce. W przyległych restauracjach podają głównie soczewicę i jogurt. To Londyn mody, młodzieży i urody. Z pierwszej ulicy po prawej, Shorts Gardens, jest wejście do **Neal's Yard**, gdzie skupiły się sklepy z ziarnami i płatkami zbożowymi, suszonymi owocami i masłem orzechowym. Ich aromaty mieszają się z zapachem świeżo upieczonego chleba. Oprócz zdrowej żywności znajdziemy tu gabinety masażu, aromaterapii i wszelkich innych terapii. Za placykiem znajdują się świetne sklepy z serami. Na Shorts Gardens zwróćmy uwagę na szczególną rzeźbę poruszaną wodą, która funkcjonuje jako zegar nad oknem sklepu ze zdrową żywnością Holland & Barrett. Za nami znajduje się wejście do cen-

Z lewej: Typowe dla Covent Garden uliczne przestawienia
Z prawej: Tancerka przed Royal Opera House

trum handlowego **Thomas Neal's**, z ekskluzywnymi i niekonwencjonalnymi sklepami, pełnymi ciekawych i pomysłowych towarów w eleganckich, przeszklonych wnętrzach.

Idziemy dalej Neal Street, mijając po prawej **Neal Street East**, duży sklep z wyrobami artystycznymi z Azji. Następnie „przeskakujemy" Long Acre i wchodzimy w James Street, widząc już przed sobą halę targową. Ale najpierw skręcimy w lewo, we Floral Street i w prawo – w Bow Street, gdzie rezydowała pierwsza londyńska policja. Naprzeciwko obecnego posterunku policji wznosi się olbrzymi i wspaniały gmach **Royal Opera House** – Opery Królewskiej – po kosztownym dwuletnim remoncie otwarty w 1999 r.

Teatr duchów

W lewo Russell Street prowadzi do **Theatre Royal Drury Lane**, podobnie jak Opera podatnego na pożary – to już czwarty teatr na tym miejscu od 1663 r. Ten mający wiele cech stylu georgiańskiego i nawiedzany przez duchy teatr widział całą galerię wielkich postaci, jak Garrick, Sheridan, Kean, Sarah Siddons i Nell Gwynne, sprzedawczynię pomarańczy, która została aktorką i podbiła serce króla.

Nie potrzeba stroju wieczorowego, by zwiedzić **Theatre Museum** (Muzeum Teatru; wt.-niedz. 10.00-18.00) przy Russell Street. Pięknie urządzone, oddaje

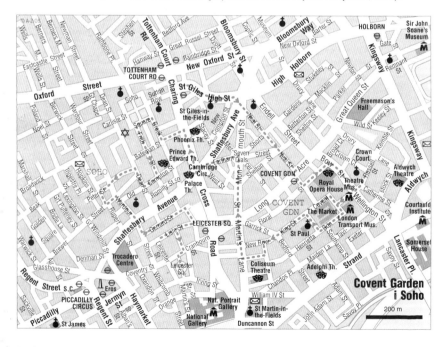

Covent Garden i Soho

hołd sztuce scenicznej, a jednocześnie umożliwia obejrzenie wielu przedstawień komedii muzycznych i melodramatów, cyrku i pantomimy – wszystko w cenie jednego miejsca na galerii. Tuż za rogiem, przy Covent Garden, znajduje się **Transport Museum** (Muzeum Transportu; codz. 10.00-18.00, pt. 11.00-18.00). Jak udawało się damom zachować należytą skromność w dawnym piętrowym omnibusie?

Covent Garden, pierwszy plac Londynu, nazwany tak od swej pierwotnej funkcji ogrodu klasztornego (Convent Garden) przy Opactwie Westminsterskim, wypełniają hale i pasaże handlowe. Pod koniec lat 30. XVII w. czwarty hrabia Bedford powierzył Inigo Jonesowi zaprojektowanie tu nowej dzielnicy mieszkaniowej. Tarasowe domy wychodzące na plac otrzymały podcienia na wzór Rue de Rivoli w Paryżu, lecz z tamtego „wspaniałego piazza" pozostała jedynie odtworzona część od strony północnej. Na placu znajdował się targ warzywny, który odstraszał porządnych mieszkańców. Targ płodów rolnych przeniesiono w 1974 r. do Nine Elms.

W centrum Covent Garden znajduje się **Apple Market** (pon. – antyki; wt.-niedz. – sztuka i rzemiosło). Królują tu przeróżni rzemieślnicy, a wokół mieszczą się sklepy specjalistyczne, jak Pollock's – świat teatru lalkowego oraz tradycyjnych, uwielbianych przez publiczność czarno-białych i kolorowych ilustracji do sztuk. Pub **Punch & Judy** przypomina o tym, że pierwszy występ teatrzyku lalkowego Punch i Judy odbył się w Anglii. Opisał go XVII-wieczny pamiętnikarz londyński Samuel Pepys.

Najpiękniejsza stodoła

Dzięki szklanym dachom hali na placu można bez względu na pogodę obejrzeć uliczne występy. Czyż może być dla nich piękniejsze tło niż fasada **kościoła św. Pawła**, która jest tylną ścianą tej „najpiękniejszej stodoły w Anglii" i zgrabnym kompromisem Inigo Jonesa w dostosowaniu jego architektury do architektury placu. Wejście do kościoła znajduje się od strony arkadowego dziedzińca w bok od King Street. Kościół jest panteonem ludzi teatru. Na jego ścianach wiszą tablice poświęcone primabalerinie Tamarze Karsawinie, Donaldowi Wolfitowi, Charlesowi Chaplinowi i Noelowi Cowardowi.

Idziemy dalej King Street i wchodzimy w New Row, ulicę tylko dla pieszych. Skręcamy w lewo w Bedfordbury i wchodzimy na Goodwin's Court, dokąd prowadzi małe wejście ok. 20 m od narożnika ulicy. Idąc dalej tą samą ulicą, mijamy malownicze fasady domów z wykuszami. Przechodzimy przez St Martin's Lane, by wstąpić do **Salisbury.** Wypijamy drinka przy marmurowej ladzie baru, a wokół lśnią kryształy, lustra i secesyjne lampy.

Ekskluzywny lunch rybny można zjeść w **Sheekey's** przy St Martin's Court, lecz o wiele taniej jest kupić kanapkę lub sałatkę w filii barów **Prêt à Manger** u zbiegu z Cranbourn Street. Po lunchu można spokojnie pobuszować po księgarniach przy Cecil Court lub zajrzeć do **Photographers' Gallery** przy Great Newport Street (pon.-sob. 11.00-18.00, niedz. 12.00-18.00).

Powyżej z lewej: Kwiaciarka w ubraniu z epoki na Apple Market w Covent Garden
Z prawej: Teatrzyk lalkowy Puncha

Mikrokosmos Soho

Wędrujemy Monmouth Street do **Seven Dials** z odnowionym obeliskiem. Jeden z siedmiu słonecznych zegarów zwrócony jest ku Earlham Street, ulicy, która zachowała atmosferę dawnego Londynu: kramy uliczne, rzeźnik Portwine i wyroby żelazne Collins. Przy Cambridge Circus skręcamy w prawo w Charing Cross Road, z niegdyś największą księgarnią świata – **Foyle's**, następnie w lewo w Manette Street, nazwaną na cześć dr. Manette z *Opowieści o dwóch miastach* Dickensa. Stanowi ona właściwe preludium do Soho, gdzie chronili się francuscy emigranci z czasów rewolucji. Soho było zaniedbaną dzielnicą, dopóki nie wprowadziły się tu modne bary i sklepy.

Skręcamy w prawo, w Greek Street i dochodzimy do **Soho Square**. Większość tutejszych XVIII-wiecznych budowli przejęli przedsiębiorcy, tylko budynek przy Greek Street 1 zachował swój urok, mieszcząc schronisko dla bezdomnych

House of Charity. Jest udostępniany tylko przez kilka godzin, dwa razy w tygodniu (śr. 14.30-16.15, czw. 11.00-12.30), ale jego wspaniałe schody i dekorację stiukową można dojrzeć z ulicy. Skwer zdobi posąg Karola II, a altana o drewnianej, szkieletowej konstrukcji ukrywa otwór wentylacyjny. Przy Frith Street nr 6, na południe od skweru, pożegnał się z życiem krytyk i eseista William Hazlitt, słowami: „Cóż, miałem szczęśliwe życie". Powinno to zachęcać do pobytu w hotelu Hazlitt's, gdzie często zatrzymują się znane osobistości.

Przy drugim końcu Frith Street można wpaść na *espresso* do którejś z włoskich kafejek, np. **Baru Italia**, lub na francuskie ciastka do **Valerie**, tuż za narożnikiem przy Old Compton Street. Od Dean Street, gdzie Karol Marks napisał *Kapitał*, odchodzi Meard Street, prowadząca do Peter Street i **Berwick Market**, najlepszego w Londynie ulicznego targu owocowo-warzywnego. Przeciskamy się przez Walker's Court ku dość zacisznej **Rupert Street**. Stoją tu stragany z jeszcze lepszymi, ale i droższymi produktami. Z Brewer Street skręcamy w prawo w Wardour Street, przy której skupia się brytyjski przemysł filmowy. Po lewej widać wieżę **kościoła St Anne's** (św. Anny), z baryłkowatą iglicą.

Idąc Wardour Street, przecinamy Shaftesbury Avenue i skręcamy w lewo, w pierwszy przesmyk Gerrard Street, znany jako **Chinatown**, gdzie szyldy zapraszają w dwu językach: po angielsku i po chińsku. Przy końcu przesmyku skręcamy w prawo, w Newport Place i ponownie w prawo, w Lisle Street. Pomiędzy nią a Leicester Square, przy Leicester Place stoi francuski **kościół Notre Dame de France**, a w jego cichej bocznej kaplicy znajduje się malowidło Jeana Cocteau. **Leicester Square**, z zegarem z kurantem na Swiss Centre i najważniejszymi kinami premierowymi, jest częstym miejscem spotkań, szczególnie wieczornych.

Powyżej: Kino Empire przy Leicester Square

2. TRASA KRÓLEWSKA *(patrz plan, s. 27)*

Od Trafalgar Square do Whitehall na zmianę warty; przez zielony St James's Park do królewskich rezydencji St James's Palace i Buckingham Palace.

Początek trasy: stacja metra Charing Cross (linie Bakerloo, Jubilee, Northern).

Tak wiele w historii i charakterze Londynu jest czynną lub bierną zasługą królów i królowych, że należy im się wdzięczność za wspaniałe budowle i zielone przestrzenie, które je łączą.

„W sam raz dla Nelsona, w sam raz dla mnie" – śpiewano w starym wodewilu. **Trafalgar Square** zawsze był placem dla ludzi, miejscem demonstracji i swobody wyrażania opinii, a jednocześnie jego królewskie koneksje czynią z niego dobry początek tej trasy. Z portyku **National Gallery**, głównej narodowej kolekcji sztuki do XX w. (codz. 10.00-18.00, śr. 10.00-21.00), rozciąga się widok jak z wysokości dachu autobusu. Kiedy książę regent, późniejszy Jerzy IV, patrzył ze swej pobliskiej rezydencji Carlton House, rozciągał się tu teren królewskich stajni. Kolumny portyku, użyte ponownie do budowy galerii w 1838 r., stanowią oprawę dla Kolumny Nelsona (**Nelson's Column**). Dodane w 1991 r. skrzydło Sainsburych zdobyło w końcu uznanie księcia Walii. Schowana za Galerią Narodową od strony Charing Cross Road **National Portrait Gallery** (pon.-sob. 10.00-18.00, niedz. 12.00-18.00) jest pełna portretów znanych osób. Zwiedzanie obu galerii może zająć cały dzień, więc nie zatrzymujmy się, jeśli zamierzamy zdążyć na zmianę warty w Whitehall o godz. 11.00.

W północno-wschodnim narożniku Trafalgar Square, Jerzy IV siedzi na oklep na koniu, bez siodła, butów jeździeckich i ostróg. Jakub II Grinlinga Gibbonsa na trawniku przed National Gallery też nie wygląda lepiej: z ręką na biodrze, przebrany za starożytnego Rzymianina.

Gdy w 1726 r. ukończono górujący nad placem **kościół St Martin-in-the-Fields** projektu Jamesa Gibbsa, jeden z parafian, który pokrył

Powyżej: Trafalgar Square i National Gallery
Z prawej: Kolumna Nelsona

połowę kosztów, wypłacił robotnikom dodatkowo 100 gwinei. Dobroczyńcą był król Jerzy III. Nad portykiem kościoła, a także nad łukiem prezbiterium widnieje herb królewski, a rodzina królewska ma tu jedyną w Londynie własną lożę. Tu został ochrzczony Karol II, a jego metresa Nell Gwynne pochowana jest przy kościele. Dziś kościół prowadzi dobrą kawiarnię i Brass Rubbing Centre, gdzie można zrobić kopię płyty nagrobnej.

Naprzeciwko South Africa House stoi druga kolumna na placu – filar latarni mieszczący posterunek policji. Piękny pomnik Karola I na koniu projektu Huberta de Sueur zwrócony jest frontem do Whitehall. Odlany w 1633 r., nie doczekał odsłonięcia, gdyż wojna domowa obaliła monarchię, i został

sprzedany na złom niejakiemu Rivettowi, brązownikowi. Gdy tron objął Karol II, cudownie odzyskany posąg ustawiono na cokole zaprojektowanym prawdopodobnie przez samego Christophera Wrena.

Droga do władzy

Whitehall, ulica wychodząca z Trafalgar Square, łączyła niegdyś City z Opactwem Westminsterskim. Przechodzi ona przez teren dawnego pałacu królewskiego i centrum władzy. Obecnie zabudowana jest gmachami publicznymi i kończy się przy Pałacu Westminsterskim, pałacu ludu i siedzibie demokratycznego rządu. Po prawej mijamy **Horse Guards**, gdzie rezyduje gwardia konna, chroniąca osobę monarchy podczas oficjalnych uroczystości. Odbywa się tu malownicza zmiana warty – Changing the Guard (pon.-sob. 11.00, niedz. 10.00). Aparaty fotograficzne pstrykają, konie kiwają głowami w takt głośnych komend i gwardia wraca do baraków przy Knightsbridge.

Naprzeciwko Horse Guards stoi **Banqueting House** (pon.-sob. 10.00-17.00), jedyna pozostałość pałacu w Whitehall. Po pożarze, który zniszczył pierwotne budynki z czasów Tudorów, Jakub I zlecił Inigo Jonesowi projekt nowego pałacu, z którego zrealizowano tylko Banqueting House, ukończony w 1622 r. Był to prawdopodobnie pierwszy budynek w Londynie z kamienia portlandzkiego i pierwszy w stylu palladiańskim. Jego nowoczesny wygląd szokował zapewne wśród budynków z cegły i drewna. Wnętrze z plafonem Rubensa konstrastuje z zewnętrzną architekturą.

Wracamy do Horse Guards i pod łukowatym sklepieniem przechodzimy na **Horse Guards Parade**, plac na którym w czasie oficjalnych obchodów urodzin królowej odbywa się ceremonia Trooping the Colour. Patrząc do tyłu przez plac mamy doskonały widok na zabudowę Whitehall.

Od północy plac zamykają budynki Admiralicji. Wracamy na Whitehall i podążamy na południe

Powyżej: Wielka Brytania rządzona jest z Whitehall
Z lewej: Wartownik na straży

ku **Downing Street**, gdzie od 1732 r. rezyduje premier. Ze względów bezpieczeństwa w 1990 r. ulica została odgrodzona żelazną bramą. Pośrodku Whitehall, naprzeciwko kolejnego budynku, monumentalnego Ministerstwa Spraw
Zagranicznych, stoi pomnik Cenotaph projektu Edwina Lutyensa, upamiętniający ofiary I wojny światowej. Skręcamy w prawo, w King Charles Street, by
zwiedzić **Cabinet War Rooms**, wojenną kwaterę rządu (codz. 9.30-18.00).
W jej podziemnych labiryntach podczas II wojny światowej Winston Churchill
obmyślał strategię, która uwolniła londyńczyków od nalotów Luftwaffe.

Wśród parków

Przed nami zieleń **St James's Park**, pod założenie którego Henryk VIII osu-
szył bagno. Karol II urządził park w stylu francuskim, z prostym kanałem,
i wpuścił publiczność, by go podziwiała. Architekt Jerzego IV, John Nash, dodał
łuk jeziora i wyspę oraz most, z którego są najpiękniejsze widoki w Londynie.
Na niewielkim obszarze powstał niezwykle urozmaicony krajobraz, z impo-
nującym bogactwem gatunków ptaków wodnych. W porze lunchu jest ulubio-
nym miejscem urzędników z okolicznych gmachów rządowych. W północnej
części parku znajdziemy kawiarnię; można tu zjeść lunch w Storey's Gate,
a przy Victoria Street – w pięknym pubie **Albert**.

Za The Mall, szeroką, paradną aleją prowadzącą do Pałacu Buckingham,
wznosi się **Carlton House Terrace** Nasha. Przylega doń **Institute of Contemporary Arts** (Instytut Sztuki Współczesnej, codz. 12.00-22.30 lub 1.00,
galerie do 19.00; wymagany niedrogi karnet jednodniowy). Prócz galerii – kino, kawiarnia, bar i księgarnia. **Kolumna księcia Yorku** na miejscu rezydencji księcia regenta powstała dzięki niewypłaceniu żołdu za jeden dzień wojsko-
wym wszystkich rang.

Idąc dalej The Mall, po prawej mijamy mur ogrodu **Marlborough House**
projektu Wrena, w którym mieszkała królowa Maria, babka obecnej królowej.

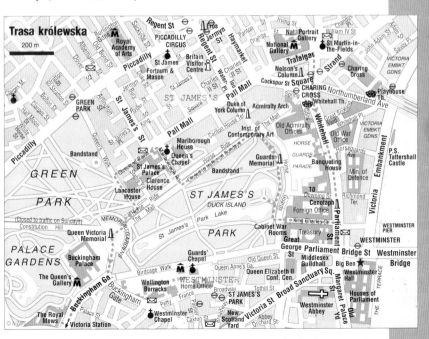

Przy Marlborough Gate znajduje się **Queen's Chapel** – Kaplica Królowej, autorstwa Inigo Jonesa. Do środka można wejść w niedzielę rano, od Wielkanocy do lipca.

W **St James's Palace**, XVI-wiecznym ceglanym budynku z blankami po przeciwnej stronie ulicy, przyszło na świat wielu członków rodziny królewskiej. Jest niedostępny dla zwiedzających. Idziemy w lewo, wzdłuż Cleveland Row, mijając strzeżoną bramę i dochodzimy do **Green Park**, założonego przez Henryka VIII. Aleją Queen's Walk, nazwaną na cześć małżonki Jerzego II, zmierzamy na południe obok wielkiego, klasycystycznego **Lancaster House**. Dawniej muzeum, dziś po odnowieniu budynek służy władzom miejskim.

Ewolucja pałacu

Początki **Buckingham Palace** datują się na 1715 r., gdy książę Buckingham zbudował tu wiejską rezydencję. Obecna fasada projektu Astona Webba pochodzi z 1913 r. Strona wychodząca na park została przebudowana dla Jerzego IV przez Johna Nasha w latach 30. XIX w. Gdy Nashowi zabrakło pieniędzy na ukończenie budowy, zastąpił go architekt Edward Blore, a dzieła dokończył Webb. Kilka reprezentacyjnych sal pałacu jest otwartych dla zwiedzających, kiedy królowa przebywa w zamku Balmoral w Szkocji. Zwiedzanie (sierpień-październik, codz. 9.30-16.30, wejście od Buckingham Palace Road) jest kosztowne i nieco rozczarowuje, natomiast barwna ceremonia zmiany warty – **Changing of the Guard** (codz. 11.30 od wiosny do jesieni, w zimie co drugi dzień) przed pałacem, nad którym powiewa flaga królewska, gdy królowa jest w domu, robi duże wrażenie. Akompaniuje orkiestra pułkowa.

Nieciekawa Buckingham Palace Road nagradza wspaniałym wejściem do królewskich stajni – **Royal Mews** (pon.-czw. 11.00-16.00, w sierpniu i wrześniu 10.00-17.00), gdzie trzymane są konie i pojazdy królowej, w tym karoca koronacyjna wykonana dla Jerzego III w 1762 r. **Queen's Gallery** (Galeria Królowej) (codz. 10.00-17.30), odnowiona i rozbudowana w 2002 r., mieści wspaniałą kolekcję dzieł sztuki. Stąd już niedaleko do dworca Victoria Station.

Powyżej: Zmiana warty przed Pałacem Buckingham

3. WEST END (patrz plan, s. 31)

Główna dzielnica handlowa Londynu – od modnej niegdyś Carnaby Street po ekskluzywnych krawców, winiarnie i sklepy z antykami St James's i w Burlington Arcade, galerie sztuki i jubilerów Mayfair – z przerwą na łyk kultury w Królewskiej Akademii Sztuki.

Początek trasy: stacja metra Oxford Circus (linie Bakerloo, Central, Victoria).

Nazwa West End (Zachodni Kraniec) to coś więcej niż geograficzny opis miejsca, dokąd nie sięga City. Nazwa ta nobilituje w jednakowym stopniu tutejszych mieszkańców, pracowników i przyjezdnych: kojarzy się z dobrym pochodzeniem, dobrobytem i tym, co modne. Nie przypadkiem w jego granicach znajduje się ekskluzywna dzielnica Mayfair i rezydencja rodziny Grosvenor, książąt Westminsteru. Arystokracja pobudowała tu swe wspaniałe domy, w których dziś mieszczą się wysokiej klasy hotele i restauracje, ambasady i prywatne kluby. Przede wszystkim jednak atrakcją West Endu są sklepy: popularne przy Oxford Street, bardziej ekskluzywne przy Regent Street, a najbardziej przy Piccadilly i Bond Street, choć na tej bogatej glebie dobrze prosperują również galerie sztuki.

Skręcamy z Regent Street w Little Argyll Street, która doprowadza nas do **London Palladium**. Kiedyś był to cyrk, obecnie scena muzyczna, która może gościć wszystko – od *Piratów z Penzance* po Ram Jam Band. Przy Great Marlborough Street pomyślimy pewnie, że pan Liberty był nieco staroświecki, budując w 1924 r. swój sklep **Liberty** w stylu z epoki Tudorów, lecz wykazał się przebiegłością jako biznesmen. Drewno jest dostatecznie oryginalne, bo pochodzi z angielskich okrętów wojennych. Na balkoniku łączącym Liberty z budynkiem przy Regent Street co kwadrans dzwoni zegar, ale święty Jerzy nigdy jeszcze nie schwytał uciekającego smoka.

Za narożnikiem Liberty zaczyna się **Carnaby Street**. Tutaj Londyn swingował w latach 60. XX w., a nazwa ulicy znalazła się w słowniku oksfordzkim jako symbol „modnych ubrań dla młodzieży". Nadal jest tu wiele atrakcji, lecz pomimo niedawnej modernizacji, ulica poszarzała. „Ząb czasu" zostawił na niej ślad, jak powiedziałby Szekspir. Patrzy on na przechodniów z góry, z niszy w narożniku pubu **Shakespeare's Head**. Właścicielami pubu w 1735 r. byli Thomas i John Shakespeare. Na ulicy unosi się zapach czarnych kurtek ze skóry, wysadzanych błyszczącymi metalowymi ćwiekami. Zewsząd dochodzi głośne dudnienie muzyki rockowej. W sklepach znajdziemy dużo tandety „pod turystów" – od kopii tabliczki na Abbey Road, gdzie Beatlesi mieli swoje studio nagrań, po kąpielówki ze wzorem flagi brytyjskiej. Jednak położone bardziej na wschód ulice – Marlborough Court i Foubert's Place – nabierają bardziej ekskluzywnego charakteru.

Skręcamy w prawo w Beak Street i znów podążamy Regent Street. Ten elegancki bulwar, powstały na początku XIX w., pełen pojaz-

Powyżej: Szarżujący święty Jerzy – ornament zegara na gmachu Liberty

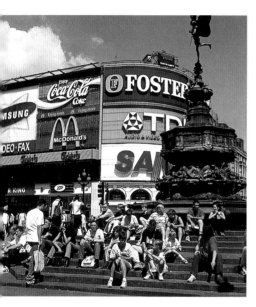

dów, jest nieustannie zatłoczony. Zaglądamy do **Café Royal**, której wnętrze, całe w pluszach i złoceniach, jest wciąż tak samo atrakcyjne, jak było w czasach Oskara Wilde'a, Aubreya Beardsleya, Augustusa Johna i innych ludzi sztuki oraz literatury, choć ceny nie pozwoliłyby nam już spędzić tu całego wieczoru. Po przeciwnej stronie Regent Street mieści się restauracja **Veeraswamy's** (wejście z Victory House, 99-101 Swallow Street), pamiętająca czasy brytyjskiego panowania w Indiach.

Dla całej rodziny

Wyjątkowo ruchliwe skrzyżowanie **Piccadilly Circus** jest dla Brytyjczyków synonimem gorączki i pośpiechu. Najlepiej prezentuje się wieczorem, dzięki ogromnym reklamom świetlnym. Po stronie południowej stoi posąg nazywany skrzydlatym Erosem, w rzeczywistości ustawiony jako Anioł Łaski Chrześcijański. Może zjemy lunch, albo chociaż zajrzymy do restauracji superszefa kuchni Marco Pierre White'a, **Criterion**. Jej dekadencki, bizantyjski wystrój pamięta się równie dobrze, jak potrawy. Jeśli mamy ze sobą dzieci, warto wstąpić do gabinetu figur woskowych gwiazd muzyki pop w **Rock Circus** (marzec-sierpień codz. 10.00-20.00 lub 21.00, w pozostałych miesiącach do 17.30) lub do **Trocadero**, dość tan-

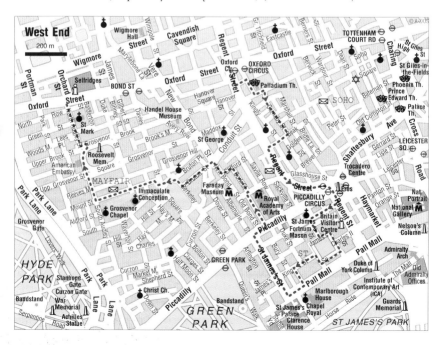

detnego pasażu handlowego, z kinem, restauracją Planet Hollywood oraz Sega-world, czymś pomiędzy ogromnym salonem gier a wirtualnym parkiem rozrywki (pon.-sob. 11.00-23.00, niedz. 12.00-22.30).

Warto poszukać wytchnienia po przeciwnej stronie placu, w kierunku Lower Regent Street, i spróbować herbaty w **Ceylon Tea Centre** przy Jermyn Street po lewej. Na tej ostatniej robią zakupy umawiani wcześniej eleganccy mężczyźni ze świata klubów i rejonu St James's. Na wystawach wybór najlepszych krawatów, koszul i obuwia. **Paxton & Whitfield** pod nr 93 oferuje najlepsze sery. **Kościół St. James's Church** (św. Jakuba) po przeciwnej stronie ulicy zbudował Wren dla szybko rosnącego przedmieścia. Zniszczony podczas II wojny światowej i odrestaurowany, kościół zachował przegrodę ołtarzową rzeźbioną w owoce i kwiaty oraz marmurową chrzcielnicę z motywem raju – dzieła Grinlinga Gibbonsa. Dziełem tego samego artysty są anioły zdobiące wspaniałe organy, przeniesione z kaplicy Pałacu Whitehall. Na uroczym dziedzińcu za kościołem odbywa się jarmark rzemiosła.

Bar **Red Lion** przy Duke of York Street wydaje się niezwykle przestronny dzięki kryształowym lustrom, odbijającym w nieskończoność dekoracje wnętrza, a wszystko w oprawie mahoniowych mebli. Schodzimy w dół do **St James's Square**, placu wytyczonego w 1660 r. Stojące tu XVIII-wieczne domy pamiętają narodziny króla Jerzego III; ich mieszkańcami byli książęta Norfolku, biskupi Londynu, a Chatham House pod nr 10 – trzej premierzy. Ten cichy zaułek związany jest z gwałtownymi wydarzeniami z czasów współczesnych. Pod nr 31 generał Eisenhower planował inwazję w Afryce i Francji, a podczas demonstracji przed Ludowym Biurem Libijskim w 1984 r. zabito policjantkę Yvonne Fletcher. Upamiętnia ją pomnik przy ogrodzeniu skweru.

Zakupy w stylu georgiańskim

Zgodnie z ruchem wskazówek zegara okrążamy posąg konny Wilhelma III stojący na placu i wchodzimy w King Street. Naprzeciwko domu aukcyjnego **Christie's** mieści się bar z alkoholem **Red Lion**, posiadający drugą w kolejności licencję na sprzedaż alkocholu wydaną na West Endzie. W jego maleńkim wnętrzu panuje intymny nastrój. Przechodzimy przez Crown Passage do ulicy Pall Mall i skręcamy w prawo, w St James's Street z jej niezwykłą paradą zabytkowych georgiańskich sklepów. Uprzywilejowani klienci winiarni **Berry Bros and Rudd** ważą się na gigantycznej wadze, tak jak kiedyś książę regent, być może patron **Lock & Co** dwa domy dalej. Założony w 1759 r. sklep, który wylansował melonik, ma ciekawą wystawę. Wąski przesmyk pomiędzy sklepami prowadzi do **Pickering Place**, georgiańskiego zaułka, który trudno skojarzyć z hazardem i przelewem krwi, a jednak był podobno sceną ostatniego pojedynku w Londynie.

Usytuowane wzdłuż ulicy kluby pilnie strzegą swej anonimowości. **Boodles**, pod nr 28 posiada wszystkie wymagane cechy plus impo-

Z lewej: Spotkanie pod Erosem na Piccadilly Circus
Z prawej: Żyrandole w jednym z klubów na St James's

nującą fasadę w stylu Adama i weneckie okno, za którym skrywa się inny świat. Skręcamy w prawo, w Piccadilly, z nadzieją, że trafimy na pełną godzinę i scenę zmiany warty pokazywaną przez zegar na **Fortnum and Mason**. W hali spożywczej tego sklepu zakupy robi królowa; nad drzwiami widnieje królewski herb. Widok z restauracji jest wart obejrzenia, nim zagłębimy się w pasaże handlowe Piccadilly.

Co wystawia Akademia Królewska?

Po stronie północnej stoi Burlington House, siedziba Królewskiej Akademii Sztuki – **Royal Academy of Arts** (codz. 10.00-18.00, pt. do 22.00). Latem wystawia ona na sprzedaż dzieła żyjących artystów. Przez pozostałą część roku odbywają się tutaj głośne, często wybitne wystawy, z których dochody służą utrzymaniu szkoły sztuk pięknych. Część budynku to miejska siedziba księcia Burlington, wzniesiona w latach 60. XVII w. Czasem udaje się wejść do jego pięknych pomieszczeń. Pozostałe fragmenty budowli utrzymane są w przyciężkim stylu wiktoriańskim.

Sąsiedni pasaż **Burlington Arcade** wydaje się przy nich swawolny, co nie oznacza, że wolno tam gwizdać lub choćby biegać wzdłuż małych sklepów w stylu regencji. Strażnicy w cylindrach i liberiach mogą nas za to zatrzymać. Specjalność sklepów to biżuteria – w jednym z nich można kupić jajka Fabergé.

Przechodzimy na drugą stronę ulicy – do **Cork Street**, całej w komercyjnych galeriach sztuki. Wstęp wolny; wystawiane są tu dzieła wszelkiego autoramentu. Po szoku doznanym w Waddington Galleries uspokoimy się w sąsiednich – Browse and Darby lub Redfern. Skręcamy w lewo, w Clifford Street i po prawej stronie New Bond Street patrzymy w stronę północną na budynek **Time-Life**, ozdobiony rzeźbą Henry'ego Moore'a.

Trudno uwierzyć, że przy **Bruton Street** w latach 20. XX w. mógł się urodzić ktoś z rodziny królewskiej, ale tak mówi tabliczka na ścianie Berkeley Square House: „Królowa Elżbieta urodziła się tu 21 kwietnia 1926 r.".

Berkeley Square, wysadzany wielkimi platanami, w ostatnich czasach uległ kasynom gry i agencjom reklamowym. Wciąż na środku stoi zbudowany w chińskim stylu budynek pompowni – **Pump House**, ale słynne słowiki już dawno odleciały. Po stronie zachodniej zachowało się kilka XVIII-wiecznych budynków. Z północno-zachodniego narożnika placu wychodzi **Mount Street**. W pobliżu hotel **Connaught**, o godnej zazdrości reputacji, ciągle przepełniony, z restauracją Scott's, serwującą owoce morza, oraz pubem Audley z „angielską jadalnią".

Pod czujnym okiem orła nad Ambasadą Stanów Zjednoczonych (nie przeoczmy posągu Dwighta Eisenhowera) South Audley Street prowadzi nas do Grosvenor Square i przechodzi w North Audley Street, by połączyć się z Oxford Street. Jeśli jeszcze mamy ochotę na zakupy, pędźmy prosto do **Selfridges**.

Z lewej: Uderzanie w nową strunę
Powyżej z prawej: Twierdza Tower of London

4. TOWER I CITY *(patrz plan poniżej)*

Różne oblicza City of London: starożytne wykopaliska archeologiczne, nowoczesne muzeum wzornictwa, klejnoty koronne, przebudowane Docklands i restauracje, w których panowie ostrygi popijają szampanem.

Na ten spacer należy się wybrać w dzień powszedni (w weekendy City jest puste). Początek trasy: stacja metra Tower Hill (linie District i Circle).

Od samego początku Tower i City stanowiły o potędze i chwale angielskiej stolicy nad Tamizą. Sprawowały władzę militarną i finansową, często nie troszcząc się o ludzkie istnienia. Przez prawie 400 lat zdrajców więziono w Tower i doprowadzano na wzgórze Tower Hill nad rzeką, na publiczne egzekucje. Odbywały się one dokładnie w miejscu oznaczonym kamiennym brukiem w **Trinity Square Gardens**. Tutaj spadały głowy. Ale w pobliskim eleganckim, XVIII-wiecznym Trinity House, Bractwo Trinity zajmowało się budowaniem latarni morskich i zapewnianiem bezpieczeństwa na morzu. Obok na wzgórzu widać kilka fragmentów **rzymskiego muru** City.

Odwracamy się tyłem do monstrualnego bydynku dawnego Zarządu Portu Londyńskiego, zwieńczonego statuą Neptuna, by popatrzeć w stronę rzeki na **Tower of London** (marzec-październik wt.-sob. 9.00-18.00, niedz. i pon. 10.00-18.00, ostatnia wycieczka oprowadzana o 15.30; listopad-luty do 17.00,

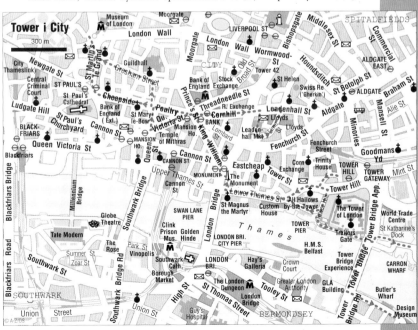

ostatnia wycieczka – 14.30), ispirację dla dziecinnych zabawek – modeli twierdz. White Tower (Biała Wieża) Wilhelma Zdobywcy, jedyna w Anglii kompletnie zachowana warownia normandzka, dominuje nad otaczającymi ją murami i basztami. Jej narożne wieżyczki otrzymały nadbudówki w XIV w. **Chapel of St John** (kaplica św. Jana) wewnątrz wieży wygląda, jakby została wykuta w skale – jej moc i prostota robią wrażenie. Dla kontrastu warto obejrzeć **Crown Jewels** (klejnoty koronne) i dowiedzieć się, co zakładał Karol II na oficjalne uroczystości. Od malowniczo odzianego strażnika, *Beefeatera*, usłyszymy, dlaczego na etacie są tu kruki (wg legendy, jeśli opuszczą Tower, twierdza się zawali). Z nabrzeża rzeki **Traitors' Gate** (Brama Zdrajców) wygląda trochę inaczej niż widzieli ją skazańcy przywożeni tu łódkami.

Most **Tower Bridge** (9.30-18.00, wejście do 16.45), zbudowany w 1894 r., to wspaniały dodatek do Tower, kryjący w sobie geniusz techniczny epoki wiktoriańskiej. Wielkie przęsła mostu drogowego otwierane są siłą pary do dziś, około 500 razy w roku. Z wysokiego mostku dla pieszych roztacza się wspaniały widok na krążownik „HMS Belfast". Jeśli czujemy się na siłach, przechodzimy przez most do odnowionego nabrzeża Butler's Wharf, ze świetnymi restauracjami i muzeum wzornictwa – **Design Museum** (codz. 11.30-18.00) Fundacji Conrana. Można tu obejrzeć przedmioty codziennego użytku, jak rower czy krzesło, i dowiedzieć się, dlaczego właśnie tak wyglądają. Prom kursujący z nabrzeża regularnie od 11.00 do 17.00 łączy muzeum z innymi atrakcyjnymi miejscami nad rzeką.

Spuścizna doków

Tower Thistle Hotel stoi obok **St Katharine's Dock** (doku św. Katarzyny), który po przebudowie nabrał nowego życia jako londyńska przystań. Magazyny Telforda, niegdyś załadowane kością słoniową, stanowią tło dla barek pływających po Tamizie i odrestaurowanych starych kliperów, a także XVIII-wiecznego okrętu wojennego „The Grand Turk". Można napić się czegoś

Powyżej: Tower Bridge
Z prawej: Gryf, symbol City

w jednej z nadrzecznych kawiarni lub w **Dickens Inn**, gdzie panuje morska atmosfera.

Ponurą Lower Thames Street odchodzimy od Tower. Po lewej stronie mijamy Custom House i dochodzimy do **kościoła St Magnus the Martyr**. Zachowało się jego bogate wnętrze: ambona z baldachimem, chór, organy z 1712 r. i malowidła ołtarza. Fish Street idziemy pod górę do kolumny **Monument** (codz. 9.30-17.00), wzniesionej przez Wrena w latach 1671-77 dla upamiętnienia wielkiego pożaru. Płaskorzeźba na piedestale przedstawia Karola II w stroju Rzymianina, na tle zniszczonego miasta. Napis obwiniający katolików o wywołanie pożaru został już dawno temu zmieniony. 61,5-metrowa wspinaczka krętymi schodkami, by podziwiać widoki, nie jest jednak odpowiednia dla osób o słabym sercu.

Świątynie i banki

Idziemy dalej King William Street, jedną z promieniście odchodzących ulic – szprych koła obracającego się wokół centrum londyńskiej finansjery, gdzie znajdują się **Royal Exchange** (Giełda Królewska), rezydencja lorda mayora, czyli burmistrza – **Mansion House**, oraz **Bank of England**. W banku, od strony Bartholomew Lane, mieści się ciekawe muzeum (pon.-pt. 10.00-17.00), wystawiające m.in. kilkusetletnie banknoty. W takim otoczeniu każdy mniejszy budynek powinien niknąć, ale bliźniacze wieże Hawksmoora, przy **kościele St Mary Woolnoth**, u zbiegu Lombard Street, trzymają fason, choć zostały podkopane przez wejście do stacji metra. Podobno imię Woolnoth nadawano na chrzcie dzieciom z nieprawego łoża.

Wsunięty za gmach Mansion House, z kolumnadą i frontonem, przy ulicy Walbrook – przykrywającej strumyk, stoi kościół **St Stephen Walbrook** Wrena. Kopuła tego kościoła mogła być wprawką Wrena do budowy katedry św. Pawła. Masywny pulpit ołtarza Henry'ego Moore'a jest niemal pogański w swej prostocie, ale za to z góry spoglądają nań wspaniałe organy.

Idziemy w lewo Queen Victoria Street do Temple Court, gdzie na podjeździe, w otoczeniu posępnych biurowców, umieszczono pozostałości rzymskiej **świątyni Mitry**, wykopane na terenie pobliskiego Bucklersbury House. Restauracja rybna **Sweetings** u zbiegu z Queen Street ma wszelkie cechy tradycyjnej instytucji City: marmurowe płyty, śnieżnobiałe obrusy oraz klientelę złożoną z pracowników City, pośpiesznie przełykających zamówione ostrygi. Przechodzimy na prawo do Bow Lane i dochodzimy do **kościoła St Mary-le-Bow** przy Cheapside. Przepiękna wieża z iglicą Wrena ocalała z pożogi wojennej, która zniszczyła oryginalne dzwony. Kościół odrestaurowano, jednak w niezbyt wyszukanym stylu.

Skręcamy w prawo, w Cheapside i w lewo, w King Street. Prowadzi ona do **Guildhall**, pełniącego rolę ratusza (codz. 10.00-17.00, nieczynne w niedz. i zimą). Choć nie zachował wiele

Z prawej: Kościół St Stephen Walbrook

ze swego średniowiecznego charakteru, jego status jednego z najważniejszych urzędów Londynu przetrwał pożary, wojny i modernizacje. Goście odbywających się w Wielkim Hallu bankietów podziwiają pomniki Nelsona i Wellingtona, ołowianego Churchilla, a nad galerią pozłacane figury Goga i Magoga, legendarnych olbrzymów. Jest tutaj napis głoszący, że odbył się tu proces sir Nicholasa Throckmortona o zdradę stanu, lecz orzeczenie sędziów o niewinności nie zostało zaakceptowane i oni sami wylądowali w więzieniu – do czasu aż wydali oczekiwany werdykt.

Na tyłach Guildhall, znajduje się **Guildhall Library** (pon.-sob. 9.30-17.00). W bibliotece tej mieszczą się zbiory Cechu Zegarmistrzów City (prócz sob.). Fascynujące zbiory ma **Museum of London** (wt.-sob. 10.00-17.50, niedz. 12.00-17.50, pon. nieczynne). Dojdziemy tam Gresham Street, skręcając w prawo przed ruchliwym rondem, przy którym znajduje się muzeum. Prezentuje ono wszystkie najciekawsze odkrycia archeologiczne dokonane w City w ciągu ostatnich 40 lat, a także wspaniałą karocę lorda mayora.

Tradycyjny duch miasta

Z muzeum kierujemy się na południe wzdłuż St Martin's Le Grand, skręcamy w lewo w Cheapside, dalej Poultry i za zbiegiem ulic przy stacji Bank wchodzimy w Cornhill. Jeśli gdziekolwiek zachował się duch dawnego City, to właśnie tutaj, w labiryncie uliczek i małych dziedzińców między Cornhill a Lombard Street. **Ball Court** po prawej (idziemy za drogowskazem do Simpson's) pozwala nam zanurzyć się w świat Thackeraya i Dickensa. Tu znajduje się restauracja **Simpson's**, otwarta w 1759 r, gdzie w dostojnym wnętrzu podają smaczną zapiekankę *steak and kidney pie* oraz wspaniałe puddingi – smak XVIII w. Obok, w **George and Vulture**, pan Pickwick jest prezesem klubu, a przy St Michael's Alley, jak mówi historia, w **Pasqua Rosée**

w 1652 r. podano pierwszą w Londynie filiżankę kawy. Wieża **kościoła St Michael Cornhill**, dzieło Hawksmoora, strzela w niebo ponad maleńkim dziedzińcem, na którym chowano parafian. Pod nią w ciemnościach **Jamaica Wine House** trwa zabawa.

Tuż przy Gracechurch Street, wciśnięty między sklepy i biura, stoi **kościół St Peter upon Cornhill**, projektu Wrena. Kościół ten stanął na pierwszym poświęconym w Anglii gruncie, jeszcze przed Canterbury. Thackeray widział świątynię z okna swego biura w redakcji „Cornhill Magazine". Zatrzymujemy się u zbiegu ulic i patrzymy w lewo: u stóp lśniącego czernią wieżowca **NatWest Tower** widać biały, podobny do tortu weselnego, dawny National Provincial Bank.

Dochodzimy do Leadenhall Street; pierwszy po prawej przy Whittington Avenue to kryty bazar **Leadenhall Market**. W XIV w. był tu targ mięsny i nadal można kupić mięso, ale też różne płody rolne. Są tu atrakcyjne kawiarnie i puby. Starsi londyńczycy pamiętają jeszcze czasy, gdy przed Bożym Narodzeniem stosy indyków piętrzyły się aż po wiktoriański dach ze szkła i żelaza. W miejscu bazaru znajdowało się centrum Londynu rzymskiego, a poniżej była bazylika, prawie tak długa, jak katedra św. Pawła.

Lime Street okrąża bazar, prowadząc do **budynku Lloyda** projektu Richarda Rogersa. Najsławniejsze towarzystwo ubezpieczeniowe rezydowało kiedyś pod dachem budynku z 1920 r., zaprojektowanego przez Adama. Dziś pracuje w budowli ze szkła i stali, odsłaniając swe wnętrze przechodniom, którzy najchętniej oglądają sunące w górę i w dół przezroczyste windy. Niedawno miejsce to wzbogaciło się o kolejny gmach, Swiss Ree, zwany przez miejscowych „korniszonem". Przy Leadenhall Street znajduje się przystanek autobusu 25 w kierunku Oxford Street.

5. SOUTH BANK *(patrz plan, s. 38-39)*

Spacer brzegiem Tamizy – z najnowszymi atrakcjami na odcinku zwanym „milenijną milą". Po drodze ważne instytucje artystyczne oraz Londyn, jaki znał Szekspir.

Początek trasy: stacja metra Westminster (linie District, Jubilee i Circle).

Przechodzimy przez rzekę Mostem Westminsterskim i idziemy w lewo, w stronę monumentalnego gmachu County Hall, zbudowanego w stylu „edwardiańskiego renesansu". Był on siedzibą Rady Wielkiego Londynu do jej rozwiązania w 1986 r. Obecnie mieszczą się tam dwa hotele i kilka atrakcji. Najnowszą z nich jest 23. **Dali Universe** (codz. 10.00-17.30), ogromne muzeum poświęcone surrealiście Salvadorovi Dalemu. Tuż za narożnikiem, przy Queen's Walk, znajduje się **London Aquarium** (codz. 10.00-18.00), z niezwykłą kolekcją gatunków wodnych roślin z całego świata, w doskonale odtworzonych warunkach. **Saatchi Gallery** (codz.

Powyżej z lewej: Restauracja rybna Sweetings
Z lewej: Leadenhall Market. **Z prawej**: London Eye

10.00-18.00, pt. i sob. do 22.00)
została otwarta w 2003 r. Prezentowane tu czasowe wystawy
ilustrują największe osiągnięcia
nurtu Young British Art.

Na pewno każdy już zauważył
największy nowy obiekt, zbudo-
wany w centrum miasta: **London Eye** (Oko Londynu; kwiecień-październik
codz. 9.00-22.00, przez pozostałą część roku codz. 10.00-18.00). Biały diabel-
ski młyn, zbudowany pod koniec 1999 r. kosztem 20 milionów funtów, jest
największym tego rodzaju obiektem na świecie. Planowano, że będzie działał
5 lat, ale okazał się tak popularny, iż zapewne jego żywot zostanie
przedłużony. W czasie przejażdżki trwającej 30 minut w pogodny dzień z najwyższego punktu widać siedem hrabstw i zamek w Windsorze.

Sztuka utrwalona w betonowych murach

Idziemy dalej wzdłuż rzeki do **South Bank Centre**, ciężkich, betonowych budynków, które składają się na najważniejsze centrum sztuki Londynu. **Royal
Festival Hall** (wystawy w foyer i pozaprogramowe przedstawienia muzyczne;
codz. 10.00-22.30) jest jedyną sceną, która przetrwała od czasu Festiwalu
Wielkiej Brytanii w 1951 r. Przestrzenne wnętrze nadaje się na wielkie imprezy. Główny i górny hol, a także taras wychodzący na rzekę wypełniają sezono-
we wystawy. Jest też muzyka w porze lunchu (śr.-niedz.), rozmaitość bufetów
i barów. Obok znajduje się **Queen Elizabeth Hall** i **Purcell Room**, sale kon-
certowe muzyki klasycznej, a także **Hayward Gallery** (czw.-pon. 10.00-18.00,
wt. i śr. do 20.00) – najważniejsza galeria sztuki współczesnej w Londynie.

Między tym kompleksem a rzeką znajduje się kawałek Paryża: kramy
z książkami pod Waterloo Bridge. Za nimi stoi świątynia kinematografii, **National Film Theatre**, gdzie wyświetla się ambitne filmy, organizuje odczyty

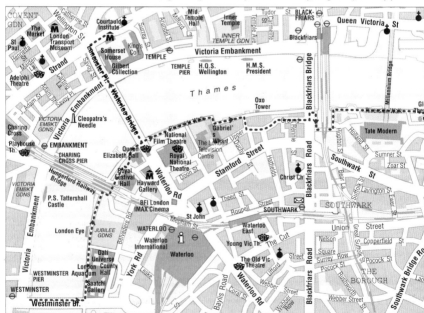

i wykłady. Znawcy kina mogą odwiedzić nowe **London IMAX Cinema** Brytyjskiego Instytutu Filmowego tuż za Waterloo Bridge, w miejscu, gdzie istniało kiedyś tzw. tekturowe miasto bezdomnych. Rzucający się w oczy okrągły szklany budynek pośrodku ronda posiada największy ekran w Wielkiej Brytanii, o wysokości 20 m i szerokości 26 m. Codziennie od 11.00 do 22.00 wyświetlane są na nim filmy w formacie IMAX o tematyce kosmicznej lub oceanograficznej.

Zanim pójdziemy dalej wzdłuż rzeki w kierunku wschodnim, do ostatniego z betonowych olbrzymów South Bank, Royal National Theatre, możemy przejść przez most do **Courtauld Institute** (pon.-sob. 10.00-18.00, niedz. 12.00-18.00) w Somerset House. Wspaniała kolekcja tej galerii obejmuje najbardziej znane obrazy impresjonistów i postimpresjonistów.

Wracamy do South Bank i mijamy **Royal National Theatre**, z trzema świetnymi teatrami, licznymi barami i kawiarniami, a za nim **Gabriel's Wharf**, przyjemne i bardziej ludzkie w skali skupisko sklepów rzemieślniczych i kawiarenek. Nieco dalej wznosi się wieżowiec **OXO Tower**, który był niegdyś gigantyczną reklamą kostek bulionowych o tej nazwie. Na ósmym piętrze znajduje się elegancka restauracja i brasseria. Nawet jeśli nie zamierzamy tam jeść, warto wjechać na górę dla samych widoków z ogólnie dostępnego tarasu.

Przechodzimy pod Blackfriars Bridge. Przed nami olbrzymi ceglany budynek dawnej elektrowni Bankside, obecnie **Tate Gallery of Modern Art** (Galeria Sztuki Nowoczesnej Tate), filia macierzystej galerii na przeciwległym brzegu rzeki (zwana Tate Britain, patrz str. 44). Zaprojektowana przez Sir Gilesa Gilberta Scotta elektrownia została przekształcona w galerię sztuki na miarę XXI w.

Powyżej z lewej: Tędy do wyrobów rzemieślniczych
Powyżej: Widok na Tate Modern

przez szwajcarskich architektów Herzoga & De Meurona. Mieści się tu kolekcja sztuki międzynarodowej. Na samym końcu, u zbiegu z Cardinal Cap Alley, stoi stary dom, w którym prawdopodobnie mieszkał Christopher Wren w czasie, gdy budował St Paul's Cathedral. **Millennium Bridge**, piesze przejście z nowej galerii Tate do katedry, otwarto w 2000 r. jako pierwszy most na Tamizie w centrum miasta po ponad stuletniej przerwie. Tłumy zwiedzających spowodowały jednak niebezpieczne kołysanie konstrukcji i most trzeba było zamknąć. Otwarto go ponownie po remoncie w 2002 r.

Teatry tudoriańskie

W czasach Szekspira londyńczycy udawali się do teatru łodzią. W City, oprócz szczucia niedźwiedzi i byków oraz prowadzenia domów publicznych, zakazano także przedstawień teatralnych, wszystko to przeniosło się więc na południowy brzeg rzeki. W 1550 r. ulica Bear Gardens prowadziła do nowiutkiej areny do

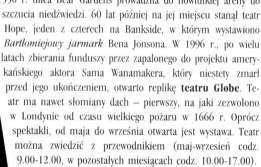

szczucia niedźwiedzi. 60 lat później na jej miejscu stanął teatr Hope, jeden z czterech na Bankside, w którym wystawiono *Bartłomiejowy jarmark* Bena Jonsona. W 1996 r., po wielu latach zbierania funduszy przez zapalonego do projektu amerykańskiego aktora Sama Wanamakera, który niestety zmarł przed jego ukończeniem, otwarto replikę **teatru Globe**. Teatr ma nawet słomiany dach – pierwszy, na jaki zezwolono w Londynie od czasu wielkiego pożaru w 1666 r. Oprócz spektakli, od maja do września otwarta jest wystawa. Teatr można zwiedzić z przewodnikiem (maj-wrzesień codz. 9.00-12.00, w pozostałych miesiącach codz. 10.00-17.00).

Prawdziwy Globe znajdował się za narożnikiem przy Park Street (na wschód od Southwark Bridge). Rzuć okiem na **Rose** (codz. 10.00-17.00), najstarszy teatr Bankside, z 1587 r. Jego pozostałości, obecnie zabezpieczone betonem, odkryto w 1989 r. podczas rozbiórki budynku. Choć dostęp do zabytku jest utrudniony, warto obejrzeć urządzoną w nim wystawę.

Przy Bank End znajduje się uroczy pub **Anchor**, w którym niewiele zmieniło się od 200 lat. Po przeciwnej stronie ulicy, w labiryncie ceglanych sklepień pod wiaduktem kolejowym urządzono nową atrakcję na wielką skalę

U góry: Rekonstrukcja teatru Globe
Powyżej: Szyld XVII-wiecznej gospody George Inn

– pierwszy w świecie park wina, **Vinopolis** (codz. 10.00-17.30). Znajdziemy tam galerie dostarczające rozrywki i edukacji, można spróbować wina w winiarni lub w restauracji oferującej 200 gatunków. Przy Clink Street stała kiedyś XIII-wieczna rezydencja miejska biskupa Westminsteru, której zachowane fragmenty obudowano murami wiktoriańskich składów. Nazwa ulicy pochodzi od więzienia Clink, założonego tu przez biskupa, i stała się potocznym określeniem więzienia. Muzeum więzienia, **Clink Street Museum** (codz. 10.00-18.00), „przedstawia pewne sprawy otwarcie". Były czasy, gdy tutejsi parafianie mogli nie płacąc cła cumować z towarami w pobliskim doku St Mary Over. Dziś w doku tym cumuje „**Golden Hinde**" (codz. od 10.00 do zmierzchu), dokładna kopia stateczku Francisa Drake'a.

Za narożnikiem widać **Southwark Cathedral**, cenny zabytek sztuki sakralnej. Ochrzczony w tej katedrze w 1607 r. John Harvard, syn urzędnika parafialnego, ufundował Uniwersytet Harvarda. Pieniądze pochodziły częściowo ze sprzedaży Queen's Head przy Borough High Street, jednej z wielu gospód z galeryjkami, jakie witały podróżnych przy wjeździe na London Bridge. Zachowała się z nich jedynie **George** pod nr 77. Surowe drewno, otwarty kominek i dziedziniec z galeryjkami tworzą XVII-wieczną atmosferę.

Kilka kroków w kierunku północnym znajduje się stacja metra London Bridge, a jeśli jeszcze mamy siłę, możemy wrócić do rzeki i ścieżką wzdłuż brzegu przejść obok dawnego nabrzeża **Hay's Wharf**. W XIX w. przybijały tu statki z herbatą z Indii i Chin; obecnie stoją głównie biurowce, ale jest i **Hay's Galleria** w miejscu pierwotnego doku, który zasypano i przykryto szklanym dachem, tworząc miły pasaż handlowy z kawiarniami. Nieco dalej w dół rzeki zacumowany jest krążownik z czasów II wojny światowej – „**HMS Belfast**" (marzec-październik codz. 10.00-18.00, przez pozostałą część roku do 17.00).

6. WOJNA I POKÓJ *(patrz plan, s. 42)*

Powrót do czasów II wojny światowej w Imperial War Museum, wizyta w gmachu Parlamentu i Westminster Abbey. Także sesja Parlamentu lub najlepsze obrazy Turnera w Tate Gallery.

Początek trasy: stacja metra Lambeth North (linia Bakerloo).

Spacer zaczynamy tam, gdzie uwieczniona jest beznadzieja wojny: w muzeum wojny – **Imperial War Museum** (codz. 10.00-18.00), nie przypadkiem mieszczącym się w dawnym Królewskim Szpitalu dla Obłąkanych Bethlem, popularnie zwanym „Bedlam". Efekty specjalne pozwalają przeżyć to, czego doświadczali londyńczycy podczas bombardowań, a jeszcze mocniejszym przeżyciem jest odtworzenie koszmaru okopów I wojny światowej. Publiczność na ogół nie docenia znaczenia muzealnej kolekcji dzieł artystów rejestrujących wojnę, takich jak seria obrazów Stanleya Spencera o stoczniach na rzece Clyde, dzieła Paula Nasha i Grahama Sutherlanda oraz wstrząsające obrazy Nevinsona z I wojny światowej.

Z prawej: Śmiercionośna broń w Imperial War Museum

Około 800 m dalej, przy dość pustej Lambeth Road znajduje się pałac arcybiskupa Canterbury oraz dawny kościół St Mary's, zamieniony na Muzeum Historii Ogrodów – **Museum of Garden History** (pon.-pt. 10.30-16.00, niedz. 10.30-17.00). Cierpiąc na brak parafian, kościół potrzebował opiekunów. Ogrodnicza rodzina Tradescantów nie tylko ocaliła kościół, ale stworzyła przy nim ogród i muzeum. XVII-wieczny ogród obsadzony jest kwiatami i krzewami sprowadzonymi z zagranicy. Tradescantowie byli ogrodnikami lorda Salisbury i króla Karola I. John Tradescant zmarł w 1638 r. i został tu pochowany. W pobliżu znajduje się grób kapitana Blighta z „Bounty", również zbieracza roślin. To właśnie podczas wyprawy na Tahiti po drzewo chlebowe nastąpił słynny bunt.

Pałac, ananasy i Parlament

Lambeth Palace, od ponad 700 lat londyńska rezydencja arcybiskupów Canterbury, miał dostęp do rzeki i przystani promu, dopóki nie zbudowano mostu i nadrzecznej ulicy. Kompleks budynków obok kościoła St Mary's nadal tworzy piękną kompozycję. Budynek bramny z czerwonej cegły z dwiema bliźniaczymi wieżami, zwany **Morton's Tower**, pochodzi z 1495 r. Obok stoi XVII-wieczny dwór. Pałac został udostępniony zwiedzającym (zalecana rezerwacja pod tel. 020-7898 1198). Ananasy wieńczące filary przy wjeździe na most to wyraz wdzięczności dla Johna Tradescanta, który jako pierwszy sprowadził te owoce do Anglii. Naprzeciwko pałacu, za ulicą biegnie nadbrzeżna promenada, z której rozciąga się wspaniały widok na Parlament. Tutaj telewizja przeprowadza często wywiady z politykami.

Przechodzimy przez most Lambeth w kierunku ogromnych gmachów urzędów państwowych i schodzimy po schodkach w prawo, do ogrodów Victoria Tower Gardens. Przy ich końcu, bliższym **Houses of Parliament**, stoi posępny odlew w brązie rzeźby Rodina *Mieszczanie z Calais*, wyraz współczucia artysty dla więźniów Edwarda III. Naprzeciwko zaczyna się **Great College**

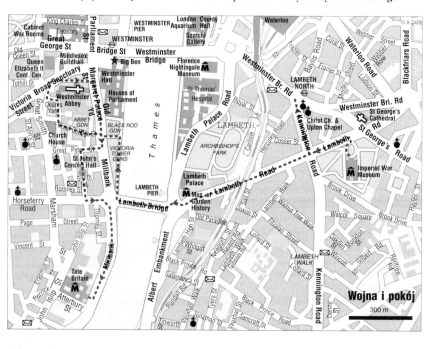

Street. Po prawej stronie widać mur dawnej fosy opactwa. To tu płynął jeden ze strumyków Tyburn, odgradzających Thorney Island (Wyspę Cierni), na której powstało Opactwo Westminsterskie.

Przy zakręcie ulicy znajdziemy wejście na piękny dziedziniec **Dean's Yard**, a po prawej wznoszą się odnowione budynki klasztorne **Westminster School** (Szkoły Westminsterskiej), od początku związanej z opactwem i kształcącej śpiewaków do jego chóru. Z Dean's Yard wychodzimy przez łuk wiktoriańskiego budynku po przeciwnej stronie i po prawej znajdujemy zachodnie wejście do **Westminster Abbey** (pon.-pt. 9.30--16.45, sob. 9.30-14.45; wstęp płatny). Ta nadzwyczajna, podobna do katedry budowla nie popadła w ruinę dzięki swej wartości jako miejsca królewskich koronacji i pogrzebów oraz świątyni o randze państwowej. Nawet to jednak nie obroniło jej przed przebudową. Zachodnie wieże, najbardziej eksponowana część kościoła, mało przypominają jego francusko-normandzki charakter. Są typowo XVIII-wieczne i angielskie. Zaproponował je Wren, a zaprojektował Hawksmoor.

Wnętrze opactwa

Główne wejście prowadzi przez kruchtę północną. Idziemy za zwiedzającymi w stronę **Lady Chapel**, zwanej też Kaplicą Henryka VII. Henryk VII zapamiętany został na długo po odprawieniu 10 tysięcy mszy za jego duszę. Kaplica, ukończona dopiero w 1519 r., jest najciekawszym architektonicznie fragmentem kościoła, z przepięknym sklepieniem wachlarzowym i wielkimi oknami. Ponad stallami wiszą chorągwie i herby rycerzy Orderu Łaźni. Naprzeciwko wejścia do kaplicy stoi pokryty inskrypcjami tron, używany do koronacji wszystkich monarchów od początku XIV w. Wbudowany weń kamień Scone, ukradziony Szkotom w 1296 r., wrócił do nich po 700 latach i obecnie jest przechowywany w zamku w Edynburgu.

Poets' Corner (Zakątek Poetów) przyciąga turystów najbardziej. Jako pierwszy został tu pochowany w 1400 r. Chaucer. W XVIII w. zakątek zaczął już przypominać galerię rzeźby. Pomniki i nagrobki stanowią przegląd wielkich i mniejszych postaci angielskiej sztuki (nie tylko poezji).

Przechodzimy z głównej części kościoła do krużganków, w których niegdyś benedyktyńscy mnisi kopiowali manuskrypty i gdzie ich chowano. Za nimi znajduje się Kapitularz – **Chapter House** (kwiecień-październik codz. 10.00-17.30, przez pozostałą część roku do 16.00), w któ-

Powyżej: Opactwo Westminster Abbey
Z prawej: Wachlarzowe sklepienie Lady Chapel

rym w 1257 r. zebrała się Wielka Rada. Pełnił on rolę izby Parlamentu od czasów Edwarda I do czasów Henryka VIII. Do dziś dziekan i kapituła nie mają tu władzy. Wejście do Kapitularza uprawnia także do zwiedzenia **Abbey Museum** (Muzeum Opactwa, codz. 10.30-16.00) w normandzkiej krypcie, gdzie przechowywane są podobizny zmarłych monarchów sporządzane do ceremonii pogrzebowych (m.in. Henryka VII, Elżbiety I i Karola II) oraz figura Nelsona. Stamtąd jest wyjście do **College Garden** (Ogrodu Kolegialnego; kwiecień-wrzesień wt. i czw. 10.00-18.00, przez pozostałą część roku do 16.00), gdzie mnisi hodowali zioła. Dla lepszego drenażu został on założony na podłożu z muszli.

Wychodzimy z kościoła przez nawę główną, mieszaninę stylu Henry Yevele'a z XIV w. z wcześniejszym o wiek stylem Henry'ego de Reyn. Zdumieni jej rozmiarami, wznosimy oczu ku najwyższemu sklepieniu kościelnemu w Anglii.

Władza stawia na gotyk

Po wyjściu okrążamy Opactwo z prawej, by dojść do **kościoła** parlamentarzystów, **St Margaret Westminster**, i przechodzimy przez ulicę do gmachu Parlamentu. Średniowieczny **Westminster Hall**, jedyna część Pałacu Westminsterskiego ocalała z pożaru w 1834 r., wyróżnia się pośród wiktoriańskiego gotyku. Jest on uważany za najpiękniejszy budynek o drewnianym dachu w Europie. Przez setki lat służył jako sąd, w którym wydawano wyroki śmierci na królów, biskupów, hrabiów i konspiratorów, w tym Guya Fawkesa. Można było odbudować Parlament w stylu elżbietańskim, lecz zwyciężyło upodobanie do gotyku i w 1860 r. ukończono budowę gmachów obu izb, według projektu Barry'ego, któremu aystował Pugin. Barry otrzymał tytuł szlachecki, Pugin skończył chorobą umysłową. Galerie dla publiczności w **Izbie Gmin** i **Izbie Lordów** umożliwiają przysłuchiwanie się obradom od godz. 14.30 w większość dni powszednich. W tym celu należy ustawić się w kolejce przed wejściem St Stephen's.

Po dojściu do Millbank skręcamy w prawo, w Great Peter Street, i w lewo w **Lord North Street**, gdzie w georgiańskich domach dzwonią dzwonki wzywające członków Parlamentu do głosowania „za" lub „przeciw". Dalej widać sylwetkę **kościoła St John** przy Smith Square. Wnętrze tej specyficznej budowli Thomasa Archera, nazywanej pogardliwie „podnóżkiem królowej Anny", spłonęło podczas II wojny światowej i zostało odbudowane na salę koncertową.

Horseferry Road wracamy do Millbank i kierujemy się do **Tate Gallery** (codz. 10.00-17.50). Po otwarciu Galerii Sztuki Nowoczesnej Tate po przeciwległej stronie rzeki (*patrz str. 39*), ta galeria stała się głównie zbiorem sztuki brytyjskiej od XV w. do dziś (w tym największej w świecie kolekcji dzieł Turnera w **Clore Gallery**) oraz wizytówką współczesnych artystów brytyjskich. Po przeciwnej stronie Vauxhall Bridge Road znajduje się stacja metra Pimlico (linia Victoria).

Powyżej z lewej: Westminster Hall
Powyżej z prawej: Royal Hospital w Chelsea

7. CHELSEA *(patrz plan poniżej)*

Na środowe lub niedzielne popołudnie – wizyta w najstarszym ogrodzie Londynu i domach wielu znanych pisarzy; spacer kończy zachód słońca nad Tamizą.

Początek trasy: Sloane Square (linie metra Circle i District lub autobus z Piccadilly).

Chelsea ma do pokazania więcej niż tylko słynną King's Road. Kilka kroków od butików, sklepów z antykami i barów znajduje się nadrzeczne przedmieście, które uwielbiał malować Whistler. Co nie znaczy, że King's Road się nie stara. Jakże pięknie i zmysłowo projektanci sklepu **Peter Jones** rozwiązali przejście z placu do ulicy!

Po przeciwnej stronie Sloane Square stoi teatr **Royal Court**, słynny z nowatorstwa. Lower Sloane Street, wychodząca z placu od południa, prowadzi do Royal Hospital Road, gdzie za starym cmentarzem znajduje się główna brama **Royal Hospital** (pon.-sob. 10.00-12.00 i 14.00-16.00, niedz. 14.00-16.00). Karol II, tak jak Ludwik XIV, założył dom dla emerytowanych i niepełnosprawnych żołnierzy, wzorując się na Hôtel des Invalides w Paryżu. Na architekta wyznaczył Christophera Wrena, dzięki czemu budowla zyskała sympatyczny kształt. **Kaplica**, poświęcona w 1691 r., mieści wspaniałe *Zmartwychwstanie* pędzla Sebastiano Ricciego, a w **Wielkiej Sali** weterani z Chelsea, w charakte-

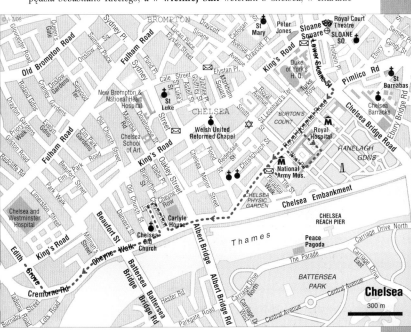

Chelsea

300 m

rystycznych czerwonych mundurach, posilają się w zaszczytnym towarzystwie *Karola II na koniu* Antonia Verrio. W **muzeum** znajdziemy kilka zaskakujących eksponatów, np. szylkretowe trąbki dla głuchych. Wschodnią część posiadłości zajmuje Ranelagh Gardens, ulubiony ogród londyńczyków w XVIII w.

Wracamy do zachodniej części terenu szpitala i obok stajni dochodzimy z powrotem do Royal Hospital Road. Skręcamy w lewo, w Tite Street, gdzie pod nr 34 Oscar Wilde miał swój „piękny dom", w którym redagował „Woman's World".

Wejście do **Chelsea Physic Garden** (kwiecień-październik śr. 12.00-17.00, niedz. 14.00-16.00) znajduje się przy ulicy Swan Walk. Drugi po oksfordzkim, najstarszy ogród botaniczny w Anglii ufundowany został w 1673 r. przez Towarzystwo Aptekarzy. Rosną w nim tysiące rzadkich i niezwykłych roślin, w tym największe drzewko oliwne rosnące w Anglii pod gołym niebem oraz krzewy herbaty.

Domy znanych i bogatych

Schodzimy w dół do Chelsea Embankment. **Cheyne Walk** przecina Oakley Street i prowadzi obok domów bogatych i wpływowych ludzi, gdzie nawet parkowanie na ulicy jest zastrzeżone tylko dla dyplomatów. Dziś od rzeki oddziela je ulica i ogrody, kiedyś na brzegu w Chelsea stały wiejskie domki z przystaniami. Kierujemy się w prawo w Cheyne Row, z dobrym pubem Cheyne Walk Brasserie z francuską kuchnią. W **Carlyle House** (kwiecień-październik śr.-niedz. i święta 11.00-17.00) czas się zatrzymał. Historyk szkocki Thomas Carlyle zamieszkał tu z żoną Jane w 1834 r., w domu zbudowanym na początku XVIII w., pozostawiając jego wiktoriański wystrój z boazeriami i tapetami. Taki, jakim go zostawili, razem z książkami, meblami i obrazami, przetrwał do dziś. Sam „mędrzec z Chelsea" nie znalazł tu upragnionego spokoju. Jego gabinet na poddaszu nie chronił przed hałasami z zewnątrz: pianiem kogutów, ulicznymi grajkami i stukaniem końskich podków. A jakby mu się tu żyło dziś, pod korytarzem powietrznym samolotów?

Na końcu Cheyne Row skręcamy w lewo, w Upper Cheyne Row i **Lawrence Street**, gdzie w latach 1745-1784 istniała fabryka porcelany. Dr Samuel Johnson próbował tam swych sił w garncarstwie, ale jego ganków nie udało się wypalić. W połowie Lawrence Street odchodzi fascynująca boczna uliczka, **Justice Walk**, lecz idziemy dalej do Cheyne Walk obejrzeć miejsce, gdzie mieszkał najważniejszy rezydent Chelsea, sir Thomas More. Kanclerz Henryka VIII został uwięziony w Tower i ścięty w 1535 r., a pochowano go w **Chelsea Old Church**. Kościół ten został zniszczony przez minę w 1941 r., ale pieczołowicie

Powyżej: Przystanek w The Man in The Moon przy King's Road
Z prawej: Edwardiańska hala spożywcza u Harrodsa

go odrestaurowano i dziś wygląda jak dawniej. Wśród licznych pamiątek po wybitnych postaciach znajdują się dwie głowice kolumny rzeźbione przez Holbeina.

Dalej w kierunku zachodnim, za Old Church Street, przy Danvers Street stoi **Crosby Hall**, najstarszy dom Chelsea, w tym miejscu od 1910 r. Przedtem stał przy Bishopsgate i był częścią dworu kupca wełny, wybudowanego w latach 1466-1475. Niestety, nie jest już udostepniany zwiedzającym. Widok z zachodniego końca Cheyne Walk w górę rzeki jest nadal romantyczny, jeśli widać zachodzące słońce. To on być może skłaniał tak wielu sławnych twórców literatury i sztuki do zamieszkania tutaj. Byli wśród nich Whistler i Brunel (Lindsey House), Hilaire Belloc, Walter Greaves, Wilson Steer oraz Turner. Droga gwałtownie skręca i oddala się od rzeki przy **Cremorne**, mizernych pozostałościach ogrodu, w którym wiktoriańska publiczność tańczyła całą noc przy kolorowych latarniach. Edith Grove po prawej zaprowadzi nas z powrotem do King's Road. Jeszcze długi, ale ciekawy spacer wzdłuż jej sklepów i znów jesteśmy na Sloane Square. Można też podjechać autobusem.

8. BELGRAVIA, KNIGHTSBRIDGE I SOUTH KENSINGTON
(patrz plan, s.48)

Początek w porze lunchu – wizyta w jednym z licznych dobrych pubów ekskluzywnej Belgravii. Potem Harrods i jedno z trzech wielkich muzeów: Muzeum Wiktorii i Alberta, Muzeum Historii Naturalnej, Muzeum Nauki.

Początek trasy: Hyde Park Corner, wyjście 4 (linia metra Piccadilly lub autobus z Piccadilly).

Hyde Park Corner to rondo zbyt duże, a równocześnie zbyt małe dla tak wielkiego ruchu ulicznego. Lepiej tam nie stać zbyt długo, więc ruszamy wzdłuż Knightsbridge i skręcamy w niezbyt efektowną alejkę po lewej, **Old Barrack Yard**, gdzie książę Wellington ćwiczył swych żołnierzy przed bitwą pod Waterloo i przez sklepione przejście po prawej odprowadzał konia, do stajni. Podest, z którego dosiadał konia, znajduje się ciągle przed pubem **The Grenadier**.

Kierujemy się w lewo Wilton Row i w prawo Wilton Crescent i znów w prawo do Wilton Place. Naprzeciw kościoła św. Pawła (St. Paul's) widać wąski wjazd w Kinnerton Street, niegdyś wiejską drogę dla woźniców i stajennych, kamerdynerów i służących. Powozownie i składy siana mieszczą się tam nadal, kiepsko zamaskowane. Są też puby. Niewielki **Nag's Head** znany jest jako „pub za 11 funtów", bo za tyle go kupiono w 1923 r. Motcomb Street rywalizuje z Bond Street jako zaplecze artystyczne. Żeby wejść do niektórych galerii trzeba najpierw zadzwonić do drzwi. Zachęcające arkady prowadzą przez Lowdnes Street do West Halkin Street. Przechodzimy w lewo i za narożnikiem wchodzimy w łuk przejścia do Belgrave Mews West, drogi na zapleczu rezydencji przy Belgrave Square. **The Star** jest taki, jaki powinien być pub: cichy i miły. Wracamy do sklepionego przejścia do stajni i idziemy w prawo **Belgrave Square**, placu tak dużego, że trudno dojrzeć jego drugą stronę. Mieści się przy nim wiele ambasad. Fasady domów robią tak przytłaczające wrażenie, że z ulgą wychodzimy z placu przy południowo-zachodnim narożniku na Pont Street. Przecinając Cadogan Square pomyślmy o Oskarze Wildzie, siedzącym w pokoju nr 53 **Cadogan Hotel** w oczekiwaniu na aresztowanie i pogrążającym się powoli w alkoholowym upojeniu.

Najwspanialszy sklep spożywczy

Za Sloane Street, Pont Street kończy się i przechodzi w **Beauchamp Place**, ulicę wypełnioną różnorodnymi sklepami, restauracjami i butikami, tworzącymi barwną całość. Kilkaset metrów w prawo, przy Brompton Road w 1848 r. znajdował się mały sklep spożywczy oświetlony lampami naftowymi. Dzisiejszy **Harrods** jest największym sklepem w Europie. Jego **hala spożywcza** nie da się opisać, salon fryzjerski w stylu *art déco* to raj dla oczu, zachwyt budzi nawet damska toaleta.

Idziemy w lewo i po drugiej stronie Brompton Road dochodzimy do **Victoria and Albert Museum** (codz. 10.00-17.45, śr. do 22.00) – muzeum zbudowanego po Wielkiej Wystawie w 1851 r. w Hyde Parku. Wiktoriański Londyn nie-

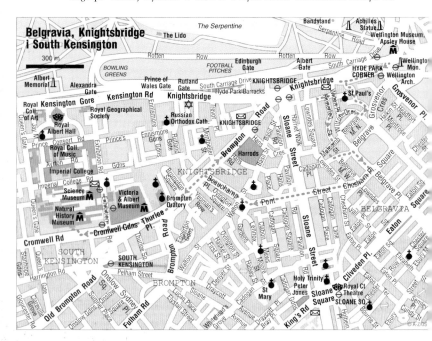

zwiedzanie miasta

zbyt ją szanował, ale konstrukcja ze szkła i żelaza przetrwała w Museum of Childhood (muzeum zabawek) na East Endzie. Muzeum Wiktorii i Alberta, jedno z kilku skupionych przy Exhibition Road, ukończono w 1909 r. Mieści nad-

zwyczajne zbiory sztuki użytkowej, zbyt wielkie by je wymienić, a galerie muzealne ciągną się przez 11 km. Po drugiej stronie Exhibition Road mieści się **Natural History Museum** (pon.-sob. 10.00-17.50, niedz. 11.00-17.50). Ekstrawagancka „romańskość" wiktoriańskiego budynku Muzeum Historii Naturalnej dziwnie dobrze współgra z prezentowanymi wypchanymi słoniami i szkieletami dinozaurów. Dawne Muzeum Geologiczne przekształcono we wspaniałe Galerie Ziemi (Earth Galleries). Niezwykle ciekawa jest przejażdżka ruchomymi schodami po olbrzymiej, obracającej się kuli ziemskiej.

Również przy Exhibition Road znajduje się **Science Museum** (Muzeum Nauki, codz. 10.00-18.00), kolejny kolos muzealny z 40 galeriami. Są w nich ruchome modele działające za naciśnięciem guzika. Nie przeoczmy pięknej Galerii Lotów (Flight Gallery) ani krwawych rekonstrukcji sal operacyjnych w ciągu wieków na wystawie o historii medycyny (Glimpses of Medical History). Bardzo blisko – za Cromwell Road – znajduje się stacja metra South Kensington.

9. HYDE PARK *(patrz plan, s. 50-51)*

Przechadzka po Hyde Parku (najbardziej ożywionym w weekendy): od „pierwszego" domu w Londynie, przez Serpentine Gallery i apartamenty reprezentacyjne w Kensington Palace.

Początek trasy: stacja metra Hyde Park Corner (linia Piccadilly).

Pierwszego maja 1660 r. Pepys napisał w swym pamiętniku: „A że dzień był nader przyjemny, zapragnąłem być w Hyde Parku". Fakt, że ponad 300 lat później ludzie nadal mają takie samo odczucie, mówi wiele o trwałej wartości tego miejsca w sercu Londynu.

Dla księcia Wellingtona był to ogród przydomowy. Zwycięzca spod Waterloo mieszkał w **Apsley House** (wt.-niedz. 11.00-17.00) od 1817 r. do śmierci w 1852 r. Jest to pierwszy (lub ostatni) dom przy Piccadilly. Jego adres określano jako „Londyn, nr 1". Architekci księcia ozdobili ceglany budynek Roberta Adama kamieniem, kolumnami i portykiem, lecz wewnątrz pozostało wiele elementów adamowskich: klatka schodowa, salon i przedsionek. Książę był zasypywany darami wdzięczności w postaci platerów i porcelany, obrazów, rzeźb, żyrandoli, a także łupów wojennych. Jednego z prezentów chyba nie powinien był przyjąć:

Powyżej: Zafascynowani w Muzeum Nauki
Z prawej: Albert Memorial

3,4-metrowego posągu nagiego Napoleona, który zdobi klatkę schodową. Okna domu wychodzą na Rotten Row – trasę królewską z Westminsteru do lasów, w których odbywały się królewskie polowania, obecnie używaną do konnej jazdy.

Założenia wodne w Hyde Parku

Przed wejściem do Hyde Parku, w którym Henryk VIII hodował jelenie i bawił się w ciuciubabkę z Anną Boleyn, łuk Decimusa Burtona wznosi się zapraszająco pośrodku ruchliwego Hyde Park Corner. Serpentine Road biegnie obok estrady i wzdłuż północnego brzegu jeziora **Serpentine**, powstałego w 1830 r. z inicjatywy królowej Karoliny – przez zbudowanie tamy na rzece Westbourne. Małżonek królowej Jerzy IV byłby zły, gdyby wiedział, że większość pieniędzy na ten cel dostarczył premier. Z brzegu za **Dell Café** widać za wodą koszary kawalerii Household Cavalry Barracks. Między stojącym dalej bankiem a koszarami w 1851 r. wznosił się kryształowy świat Wielkiej Międzynarodowej Wystawy.

Tuż przed mostem, po prawej stronie – na tle drzew widać **Rimę**, pomnik Jacoba Epsteina, upamiętniający pisarza i przyrodnika W.H. Hudsona, odsłonięty w 1925 r. Pomnik, przyjęty początkowo bardzo nieżyczliwie, jednak przetrwał. Bardzo go lubią ptaki, tak jak to było zaplanowane. Szybko mijamy straszny z nazwy, choć zupełnie niegroźny budynek Powder Magazine (Magazyn Prochu) i podziwiamy widoki z pięknego mostu Renniego. Na drugim brzegu znajduje się Lido, plaża i kąpielisko czynne w lecie, od 6.00 do zmierzchu. Między Lido a mostem przewidziano miejsce pod fontannę ku pamięci księżnej Diany.

Przechodzimy przez ulicę do **Kensington Gardens** (Ogrodów Kensingtońskich). Gdyby królowa Karolina przeprowadziła swój plan przyłączenia ogrodów do Pałacu Kensingtońskiego, nie mielibyśmy dziś do nich wstępu. Zapobiegł temu premier Walpole. W **Serpentine Gallery** (codz. 10.00-18.00) odbywają się ważne wystawy, ale prawdziwa perła to stojąca dalej za nią **Temple Lodge** Williama Kenta, a w całkowicie odmiennym guście – **Albert Memorial**, niedawno odnowiony pomnik małżonka królowej Wiktorii. Jest on doskonałym wyrazem ideałów i dążeń epoki wiktoriańskiej.

Powyżej i z prawej: Pomnik Piotrusia Pana i tulipany w Kensington Gardens

Dom Diany

Idziemy do końca aleją Flower Walk i skręcamy w Broad Walk do **Kensington Palace** (codz. 10.00-17.00), zamieszkanego przez członków rodziny królewskiej. Tu mieszkała księżna Diana do swej śmierci w 1997 r., a dziś przybywają pielgrzymki jej wielbicieli. Do zwiedzania udostępniono sale reprezentacyjne (**State Apartments**) i królewską kolekcję ceremonialną (**Royal Ceremonial Collection**). Pałac Kensingtoński powstał jako prywatna rezydencja. Po jego nabyciu przez Wilhelma III został nieznacznie rozbudowany przez Christophera Wrena, a potem dla Jerzego I – przez Williama Kenta.

Po stronie północnej znajduje się **Oranżeria** (codz. 10.00-18.00). Lubiła tu pić herbatę królowa Anna, a teraz możemy i my. Za budynkiem rozciąga się fantastyczny plac zabaw upamiętniający księżną Dianę. Po wyjściu z parku można wstąpić do kawiarni **Café Diana**, Wellington Terrace nr 5, w której ściany zdobią zdjęcia księżnej. Kolejna atrakcja to „holenderski ogród" w obniżeniu, blisko wejścia dla publiczności. Z obiegającej go ścieżki, spomiędzy lip widać staw z liliami. Ścieżka prowadząca od południowej strony pałacu dochodzi do cienistego Kensington Palace Green. W pobliżu mieszczą się liczne ambasady strzeżone przez policjantów. „Uciekamy" przed nimi na Kensington High Street, do autobusu lub metra.

zwiedzanie miasta

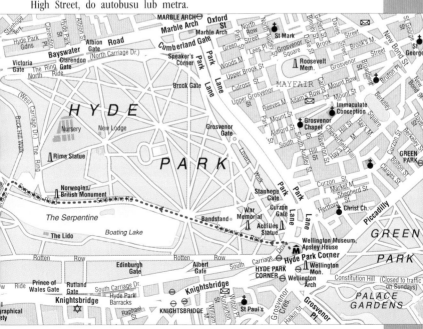

10. NOTTING HILL *(patrz plan poniżej)*

Urok Notting Hill to mieszanina kultur i stylów życia. Rastafarianie i włoski makaron, wspaniałe pałace i artyści. W sobotę bazar przy Portobello Road.

Początek trasy: stacja metra Notting Hill Gate (linie Central, District i Circle).

Notting Hill jest ulubioną dzielnicą gwiazd muzyki pop i mediów. Duże domy z kodem pocztowym W11 kosztują co najmniej milion funtów. Ale nie zawsze okolica ta cieszyła się taką popularnością. Na początku XIX w., gdy jej okazałe, półokrągłe ulice sąsiadowały z obskurnymi slumsami, Dickens określał ten kwartał jako siedlisko zarazy, najbardziej niezdrowe miejsce w całym Londynie.

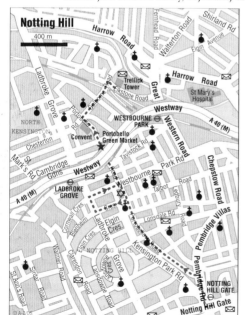

Jeszcze w latach 50. XX w. była to bardzo biedna dzielnica, w której masowo osiedlali się przybysze z Karaibów. Przeludnienie doprowadziło w 1958 r. do zamieszek na tle rasowym.

Dziś różne kultury żyją wspólnie całkiem szczęśliwie, a słynny karnawał karaibski, Notting Hill Carnival, od skromnych początków w latach 60. urósł do rozmiarów drugiego, największego po festiwalu w Rio. W 1999 r. sławę Notting Hill przypieczętował hollywoodzki film z Julią Roberts i Hugh Grantem w rolach głównych. Był on jednak krytykowany za brak realizmu, gdyż ukazuje niewielu czarnych mieszkańców dzielnicy.

Powyżej: Portobello Road

Antyki, jabłka, kapcie i przyprawy

Portobello Road pełznie jak wąż przez sam środek dzielnicy. Gdy w latach 70. XIX w. powstał tu bazar, handlowali na nim Cyganie. Obecnie Portobello w każdą sobotę to mila kolorów i jazgotu. Południowy kraniec, rozpoczynający się w pobliżu Chepstow Villas, poświęcony jest głównie antykom i kolekcjonerstwu. Jest tam wszystko – od stojaków na grzanki po pluszowe misie, od skamielin po wazy z czasów dynastii Ming. Należy się targować. W pasażach, takich jak Admiral Vernon, ukryte są dziesiątki małych stoisk.

Od **Elgin Crescent** zaczyna się targ żywności. Tradycyjne stragany z owocami i warzywami sąsiadują z bardziej oryginalnymi, gdzie można kupić suszone pomidory czy chleb z oliwą. W stylowym wnętrzu odnowionego kina Electric Cinema można obejrzeć najnowsze filmy. Skręcamy w lewo, w Blenheim Crescent na lunch do **Books for Cooks**, gdzie na klientach wypróbowuje się nowe przepisy. Księgarnia Travel Bookshop po drugiej stronie ulicy była pierwowzorem księgarni w filmie *Notting Hill*.

Wracamy na Portobello Road. Pod wiaduktem Westway króluje moda. Butiki **Portobello Green Arcade** są jak egzotyczne buduary. Znajdziemy tam okulary w kształcie różowych serc i kardigany ze sztucznego futra. Stragany na zewnątrz specjalizują się w ręcznie farbowanych ubraniach i pirackich nagraniach. Za Westway rozciąga się pchli targ, kończący się w rejonie Golborne Road. Są tu sklepy marokańskie z bamboszami i przyprawami. Mieszkańcy licznej wspólnoty portugalskiej tłoczą się na kawę i ciastka w **Lisboa**, a po suszonego dorsza *bacalao* – w delikatesach naprzeciwko. Trellick Tower, wieżowiec wyłaniający się na końcu ulicy, zaprojektował Erno Goldfinger. To od niego Ian Fleming, autor powieści o Bondzie, zaczerpnął nazwisko jednego ze swych czarnych charakterów.

Jeśli czujemy już zmęczenie, możemy wsiąść do metra na pobliskiej stacji Westbourne Park. Możemy też zjeść lunch w **192**, modnym i często odwiedzanym lokalu przy Kensington Park Road 192, a potem wrócić do Notting Hill Gate – pośród XIX-wiecznych willi ze wspólnymi ogrodami przy Lansdowne Crescent i Lansdowne Road.

11. REGENT'S PARK *(patrz plan, s.54)*

Piękna londyńska architektura w stylu regencji, londyńskie zoo, Ogrody Królowej Marii, galeria Madame Tussaud's i Planetarium.

Początek trasy: stacja metra Great Portland Street (linie Circle i Metropolitan).

To utopia, bo jakże inaczej opisać wizję Johna Nasha dla zakupionego przez księcia regenta **Marylebone Park**? Miał być pałac, wille dla szlachty, domy tarasowe dla klas średnich i skromniejsze dla klas pracujących, kościoły, targ i koszary – to wszystko wokół jeziora i z rzeką przecinającą park krajobrazowy. Dziś jest tu osiem willi zamiast 26 i jedno półkole ulicy zamiast kilku oraz kanał (Regent's Canal) służący jako rzeka.

Stojąc przy narożniku **Park Crescent**, spróbujmy sobie wyobrazić drugie półkole ulicy za Marylebone

Z prawej: Park Crescent

Road. Byłby to największy okrągły plac w Europie. Przechodzimy przez ulicę do Park Square East. Przy St Andrew's Place znajduje się **Royal College of Physicians** (Królewska Szkoła Lekarska) projektu Denysa Lasduna. Jej sala wykładowa przypomina kształtem wieloryba. Przy Outer Circle (Zewnętrznej Obwodnicy) wiktoriańska Cambridge Gate zajęła miejsce XIX-wiecznej rotundy Colosseum, która mieściła panoramę Londynu z katedry św. Pawła, morskie pieczary i afrykańską dolinę z wypchanymi zwierzętami. Po lewej stronie **Chester Gate** stoi mała willa, a przy niej popiersie człowieka, którego dzieła widać wokół – Johna Nasha.

Patrząc poprzez łuki

Chester Terrace, długi jak Tuileries, najbardziej teatralnie wygląda widziany z parku lub poprzez łuki triumfalne na końcach terasy. Nash poróżnił się z wykonawcą budowy, gdyż nie chciał, by samodzielne domy łączyły się z główną terasą. Ponieważ wymuszono to na nim, znalazł rozwiązanie: łącznik w postaci potrójnego łuku. Nash przykładał szczególną wagę do **Cumberland Terrace**, który miał być widoczny z planowanego pałacu, lecz nieco mniejszą do figur na jego fasadzie. Wyglądają, jakby je umieścił na samej górze, bo nigdzie indziej się nie zmieściły.

Gotycki **St Katharine's Hospital** przeniósł się tu z East Endu, zmuszony budową St Katharine's Dock w 1825 r. Za bramą Gloucester Gate skręcamy w prawo i przechodzimy przez Albany Street do **Park Village West**, osiedla malowniczych willi, a wśród nich **Octagon House**, pomiędzy suchym już dziś kanałem a nadbrzeżnymi ogrodami.

Z końca osiedla przy Albany Street wracamy, przechodzimy przez mostek i skręcamy w lewo, w Prince Albert Road. Poniżej zaczyna się krótkie odgałęzienie kanału, które dochodziło do basenu **Cumberland Basin** i obsługiwało targ sienny. Ze wzgórza **Primrose Hill** (z przodu po prawej) rozciąga się panorama Londynu, ale kto ma mniej siły lub dzieci u boku, może skręcić w lewo i przejść przez most do Outer Circle i **London zoo** (marzec-wrzesień codz. 10.00-17.30, październik-luty codz. 10.00-16.00). Towarzystwo Zoo-

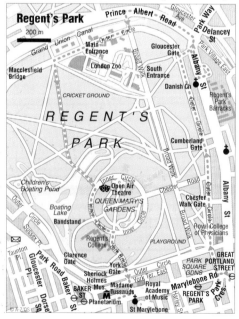

logiczne zajęło część parku w 1826 r. Obawiano się, że okoliczni mieszkańcy nie zechcą dzielić swej przestrzeni życiowej z lwami i lampartami. Jednak zoo było coraz bardziej popularne, trafiło nawet do piosenek. Niestety – przestało być modne i utrzymuje się dzięki darom z zagranicy. Najlepszy czas na zwiedzanie to pora karmienia zwierząt, zwłaszcza szympansów i gadów.

Kto ma już dosyć, może wsiąść do autobusu 274 jadącego z powrotem do Oxford Street. Trasa prowadzi dalej przez piękne zielone tereny do parku. Wchodzimy do niego pierwszym wejściem za zoo. Druga ścieżka biegnąca

z prawej strony przeprowadzi nas przez most na jeziorku do Inner Circle (Wewnętrznej Obwodnicy). Do końca 2004 r. roboty budowlane mogą powodować okresowe objazdy. Środek tego koła wypełniają **Queen Mary's Gardens** (Ogrody Królowej Marii), po lewej **Open-Air Theatre** (teatr pod gołym niebem), a po prawej kawiarnię, ogród różany i wodny.

Zmierzamy do wyjścia z parku naprzeciwko – York Gate, i **kościoła St Marylebone**, dzieła Nasha. Idziemy w stronę Baker Street obejrzeć figury woskowe przywiezione przez Marie Tussaud z Paryża w 1802 r., ale nie zdziwmy się, jeśli którąś z naszych ulubionych dawnych figur została już przetopiona. **Madame Tussaud's** (pon.-pt. 10.00-17.30, weekendy 9.30-17.30, niedz. w sierpniu 9.00-17.30) musi nadążać za czasem, jeśli chce pozostać największą atrakcją Londynu (długie kolejki!). **Londyńskie Planetarium** obok (pon.-pt. 12.20-17.00, weekendy i wakacje szkolne 10.20-17.00) urządza pokazy co 40 minut. Niedaleko znajduje się stacja Baker Street z wieloma liniami metra.

12. FLEET STREET, INNS OF COURT, INNS OF CHANCERY
(patrz plan, s. 56)

Fleet Street, gdzie puby pozostały, choć dziennikarze się wyprowadzili. Następnie Inns of Court, niezwykłe Muzeum Johna Soane'a i British Museum.

Początek trasy: Stacja Blackfriars (wyjście 8, linie metra District i Circle).

Wędrując na północ od rzeki w stronę Ludgate Circus skręcamy w lewo we Fleet Street i poruszamy się wzdłuż zachodniego brzegu rzeki Fleet, bezceremonialnie zamienionej w kanał ściekowy. Wędrujemy również śladami pokoleń dziennikarzy i prawników. Pierwsi się wyprowadzili, drudzy pozostali.

W wąskiej uliczce Bride's Avenue po lewej widać przypominającą tort weselny wieżę **kościoła St Bride's**, najwyższego kościoła Wrena. Odbudował go po wielkim pożarze Londynu w 1666 r. Po zbombardowaniu w 1940 r. odrestaurowano kościół w równie pięknej formie. Fascynujące muzeum w krypcie – **Crypt Museum** (nieczynne z powodu remontu), zawiera zbiór rzymskich mozaik, szczątków ścian saskich kościołów oraz dzieła Owidiusza wydane przez Williama Caxtona.

Exodus
Budynek z ciemnego szkła i chromu po przeciwnej stronie ulicy był siedzibą centrum zarządzania spółką

Powyżej: Beatlesi u Madame Tussaud
Z prawej: Dr Samuel Johnson

zwiedzanie miasta

Express Newspapers do czasu wyprowadzki krajowych gazet z Fleet Street w latach 80. XX w. do tańszych siedzib o wyższym standardzie. Pałac z filarami kilka metrów dalej był siedzibą „Daily Telegraph". Odnajdujemy uliczkę **Wine Office Court**, z zabytkowym pubem **Ye Olde Cheshire Cheese**, odwiedzanym kiedyś przez Samuela Johnsona i jego przyjaciół, m.in. Olivera Goldsmitha, który mieszkał pod nr 6. Dobrze oznakowano drogę do **Dr Johnson's House** przy Gough Square (maj-wrzesień codz. 11.00-17.30, przez pozostałą część roku codz. 11.00-17.00). Johnson mieszkał tu w latach 1748-1759, pracując nad swoim słownikiem w pokoju na poddaszu, w asyście sześciu kopistów. Wracamy na Fleet Street i przechodzimy przez ulicę pod nr 47, do snobistycznej winiarni **El Vino's**, niegdyś okupowanej przez zarozumiałych dziennikarzy. Była ona sceną utarczek feministycznych w latach 80. XX w., gdyż kobiet nie obsługiwano tam przy barze (mężczyźni do tej pory muszą być „pod krawatem").

Za Fetter Lane po prawej wznosi się **kościół St Dunstan-in-the-West** z XVII-wiecznym zegarem wybijającym godziny. Tu w czasach zarazy w 1665 r. pocieszał wiernych ksiądz-poeta John Donne. W bocznej krypcie stoi naturalnej wielkości posąg królowej Elżbiety I. Gdy usuwano Bramę Luda, przeniesiono ją tutaj razem z królem Ludem i jego synami, którzy snują się gdzieś w mrokach podziemi. Nieco dalej znajduje się wejście do **Clifford's Inn**, z herbem de Clif-

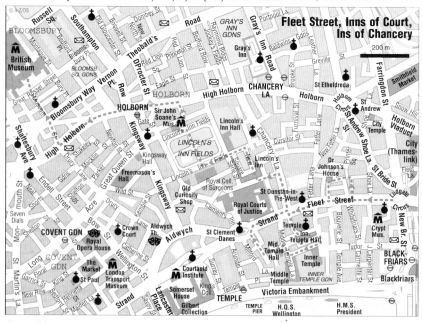

fordów w szachownicę nad łukiem bramy, za którą rozciąga się oaza ciszy wśród zieleni. W banku **Coutts & Co**. Przechowuje tu pieniądze królowa Elżbieta II. Po stronie południowej, przy Fleet Street 1, mieści się **Child & Co**., najstarszy prywatny bank w Anglii, obecnie należący do Royal Bank of Scotland.

Świątynie prawa

Tuż przed bankiem Child znajduje się brama o konstrukcji szkieletowej, prowadząca do Middle Temple Lane oraz czworokątnych dziedzińców i podwórek, kancelarii i ogrodów **Temple**, czyli serca Londynu prawniczego. Są to Inner Temple i Middle Temple. Na pierwszym piętrze Inner Temple Gateway z 1611 r. znajduje się **Prince Henry's Room** (Sala Księcia Henryka; pon.-sob. 11.00--14.00) z inicjałami syna Jakuba I pośrodku ozdobnego sklepienia. Idziemy przejściem pod budowlą i w lewo do **Temple Church**, zbudowanego w 1185 r. dla zakonu rycerskiego Templariuszy.

Kierujemy się w lewo do King's Bench Walk, skręcamy w prawo przed Paper Buildings i mijamy ogrody schodzące w dół do Embankment. Na Middle Temple Lane skręcamy w prawo i wchodzimy na schody po lewej, prowadzące do Fountain Court. Przechodzimy przez bramę do Devereux Court (obok Devereux Chambers). Na Essex Street kierujemy się w prawo i dochodzimy do Strandu naprzeciwko **Royal Courts od Justice** (Sądów Królewskich), gdzie rozpatrywane są najważniejsze sprawy cywilne. Udajemy się w prawo, a potem w lewo – w Chancery Lane.

Przy **Carey Street** po lewej mieści się sklep jubilerski **Silver Mousetrap**, założony w 1690 r., oraz pub **Seven Stars** z 1602 r., znany jako Magpie and Stump z *Klubu Pickwicka* Dickensa. Wchodzimy do Lincoln's Inn pod łukowatym sklepieniem oznaczonym „New Square". Trafnie nazwany, **Old Hall** (Stary Dwór) pochodzi z czasów Henryka VII. Brama wschodnia wiedzie do Lincoln's Inn Fields, największego placu w Londynie.

Sir John Soane's Museum (wt.-sob. 10.00-17.00) mieści się przy północnej pierzei placu, pod nr 13. Jest ono mało reklamowaną perłą wśród muzeów, a wstęp jest bezpłatny. Labirynt jego wnętrz wypełniony jest antycznymi zabytkami i obrazami tego znanego XIX-wiecznego architekta, znajdują się tam m.in. *Kariera marnotrawcy* i *Wyboramy* Hogartha. Polecamy!

To małe muzeum jest zaledwie wstępem do tego, co nas czeka we wspaniałym **British Museum** (pon.-sob. 10.00-17.00, niedz. 14.30-18.00), położonym niedaleko (spacerem 10 minut). Muzeum to odwiedza rocznie niemal tyle osób (ponad 5,5 miliona), ile wynosi liczba eksponatów w jego zbiorach (ponad 6,5 miliona). Wiele słynnych zabytków starożytności zostało zagrabionych z wykopalisk największych starożytnych cywilizacji świata, co sprawia, że nazwa muzeum nie jest zbyt adekwatna do tych zbiorów. Rząd Grecji zażądał zwrotu słynnych marmurów Elgina (Parthenon) i prawdopodobnie część eksponatów zostanie przekazana tam, skąd pochodzą.

Gdy mamy mało czasu, koniecznie zobaczmy owe marmury Elgina, skarby anglosaskie z grobowca-statku Sutton Hoo oraz mumie egipskie. Wspaniałe manuskrypty znajdują się obecnie w Bibliotece Brytyjskiej (**British Library**), w pobliżu stacji St Pancras, przy Euston Road.

Powyżej z lewej: Muzeum Johna Soane'a – biblioteka architekta
Z prawej: Eksponat w British Museum

13. ST PAUL'S CATHEDRAL I SMITHFIELD *(patrz plan obok)*

St Paul's, wspaniała katedra Christophera Wrena; targ mięsny Smithfield; najstarszy szpital Londynu; średniowieczne uliczki i biblioteka im. Karola Marksa.

Początek trasy: stacja metra St Paul's (linia Central).

29 grudnia 1940 r. na serce Londynu zostały zrzucone bomby, które wywołały wiele pożarów, ale **katedra św. Pawła** – symbol oporu narodu angielskiego – przetrwała. Wieża gotyckiej, poprzedniej katedry spłonęła w 1561 r. i budynek

był zaniedbany. Inigo Jones odnowił zachodnią fasadę, ale po wielkim pożarze Londynu postanowiono przyspieszyć renowację katedry. Wren rozpoczął pracę nad projektem w 1672 r. Jego wspaniały drewniany model odrzucono, a ostateczny kształt świątyni jest rezultatem kompromisu.

Wracamy do Newgate Street i idziemy nią aż do Central Criminal Court (Głównego Sądu Karnego), zwanego **Old Bailey**, gdzie sądzi się najcięższe sprawy karne. Giltspur Street przechodzimy do West Smithfield, które widziało publiczne egzekucje i płonące stosy, ubój bydła oraz targ św. Bartłomieja, który w 1840 r. zasłynął ze scen pełnych okrucieństwa i przestępstw. W najbliższym otoczeniu znajdują się: najstarszy szpital Londynu St Bartholomew's (św. Bartłomieja) i najstarszy kościół St Bartholomew-the-Great. Oba powstały dzięki funduszom dworzanina Henryka I, niejakiego Rahere.

Pod wezwaniem św. Bartłomieja

Budynek bramny, **Bart's Gatehouse**, z posągiem Henryka VIII w niszy, wygląda bardziej jak wejście na dziedziniec college'u niż szpitala. Wchodzimy

U góry: St Paul's Cathedral o zmierzchu
Powyżej: Budynek bramny Charterhouse

i po lewej stronie widzimy kościół szpitalny **St Bartholomew-the-Less**, gotycki ośmiokąt z 1823 r. ze średniowieczną wieżą. Po wyjściu idziemy w prawo do XIII-wiecznego budynku bramnego **St Bartholomew-the-Great**. Jego szkieletowa konstrukcja była niewidoczna, dopóki nie odsłoniło jej uderzenie bomby podczas I wojny światowej. Wewnątrz normandzkie prezbiterium zburzonej nawy klasztoru Augustianów. Wykuszowe okno, umieszczone wysoko na południowej ścianie, pozwalało przeorowi Boltonowi niezauważalnie śledzić przebieg wydarzeń.

Budynek nr 41 przy Cloth Fair daje pojęcie o tym, jak wyglądał Londyn przed wielkim pożarem. Poeta John Betjeman uważał swój dom na przeciwległym narożniku za najprzyjemniejsze miejsce do życia, dopóki nie wypędził go stamtąd ryk pędzących nocami ciężarówek. Nieco dalej przechodzimy pasażem do Long Lane i **Ye Olde Red Cow**, gdzie podają *hot toddy* (brandy z gorącą wodą i cukrem). Jako że praca w **Smithfield Meat Market**, ogromnej wiktoriańskiej hurtowni mięsa po przeciwnej stronie ulicy, zaczyna się wcześnie, tutejsze puby czynne są od 5.30. Jeśli chcemy zobaczyć prawdziwy handel powinniśmy tam być najpóźniej przed 9.00.

Idziemy Lindsey Street do Charterhouse Square. **Charterhouse** (kwiecień--lipiec oprowadzanie w śr. o 14.15), początkowo klasztor Kartuzów założony w 1371 r., potem dwór księcia Norfolku, a jeszcze później szkoła dla biednych chłopców i szkoła prywatna. Dziś mieszkają tu emeryci-dżentelmeni.

Jerozolima na East Endzie

Kierujemy się w prawo w St John Street, skręcamy w lewo w St John's Lane i cofamy się o 400 lat, docierając do budynku bramnego klasztoru św. Jana Jerozolimskiego. Mieścił on siedzibę Mistrza Ceremonii Elżbiety I, a także biura „Gentleman's Magazine". Przechodzimy Clerkenwell Road do St John's Square, niegdyś dziedzińca klasztornego. Jerusalem Passage prowadzi do Aylesbury Street i Clerkenwell Green. Przy końcu tej ulicy mieści się elegancki, odrestaurowany **Old Sessions House** z 1782 r. W barze dobrego pubu **Crown** znajduje się Zegar Konspiratorów, upamiętniający nieudany zamach na życie Karola II.

Przy tej samej ulicy pod nr 37a mieści się **Marx Memorial Library** (pon. 13.00-18.00, wt.-czw. 13.00--20.00, sob. 10.00-13.00), – biblioteka upamiętniająca Karola Marksa. W 1892 r. w tym budynku założono pierwszą drukarnię socjalistyczną, a w małym narożnym biurze Lenin wydawał „Iskrę", która miała zapalić rosyjską rewolucję. Trasę kończymy na stacji Farringdon, idąc w lewo Farringdon Road.

St Paul's i Smithfield
300 m

Wycieczki
poza centrum

1. HAMPSTEAD *(patrz załączony plan miasta)*

Najpiękniejsze tereny zielone pod Londynem – wzgórza podmiejskiej dzielnicy Hampstead oraz Hampstead Heath.

Dojazd metrem do stacji Hampstead (linia Northern).

Dla pisarzy, malarzy i innych dusz artystycznych Hampstead od dawna był miejscem wymarzonym. Ostatnio naliczono tam ponad 90 niebieskich tabliczek na budynkach, w których mieszkali sławni ludzie, jak John Constable, George Orwell, Florence Nightingale czy Zygmunt Freud. Dziś, by tu żyć, trzeba mieć zasobną kieszeń. To przedmieście z pięknymi, pełnymi zieleni uliczkami i zaułkami oraz wrzosowiskami jest jednym z najmodniejszych rejonów Londynu.

Z metra wychodzimy na Heath Street i dochodzimy do Church Row z największym skupiskiem georgiańskiej architektury w Hampstead. Idziemy za drogowskazem do grobu Johna Constable'a na zadrzewionym dziedzińcu kościoła St John's, w połowie ulicy. Potem wędrujemy Holly Walk obok dawnego domu Roberta Louisa Stevensona i do Hampstead Grove. **Fenton House** (marzec-październik śr.-pt. 14.00-17.00, weekendy 11.00-17.00), wspaniała XVII-wieczna rezydencja Wilhelma Orańskiego i Marii II, ze złoconą bramą, posiada niezwykłą kolekcję starych instrumentów muzycznych. Wracamy do Hampstead Grove, schodzimy po schodkach do Heath Street i idziemy wzdłuż New End. **Burgh House** (codz. 12.00-17.00), stojący przy końcu tej ulicy, pochodzi z ostatnich lat XVII w., gdy Hampstead przekształcało się w modny kurort. Mieści się tu ciekawe muzeum regionalne, z planami lokalizującymi 166 domów znakomitych osobistości, a także stała wystawa o Constable'u.

Ulica Flask Walk, zanim połączy się z High Street, przechodzi w pieszą alejkę z artystycznymi sklepami. Idziemy High Street w kierunku pięknej ulicy Downshire Hill, z budynkami w stylu regencji. Modernistyczny, wychodzący na wrzosowisko budynek przy **Willow Road 2** (kwiecień-październik czw.-sob. 12.00-17.00), projektował Erno Goldfinger. Wypełniony jest wybitnymi dziełami sztuki współczesnej tego architekta. W willi w stylu regencji za narożnikiem, przy Keats' Grove, mieszkał John Keats. Napisał wtedy jeden ze swych najpopularniejszych wierszy: *Odę do słowika*. **Keats' House** (pon.-pt. 10.00-13.00 i 14.00-18.00, sob. 10.00-13.00 i 14.00-17.00, niedz. 14.00-17.00), zawiera wzruszające pamiątki związane z Fanny Brawne, sąsiadką i ukochaną poety.

Z lewej: Neoklasyczny Kenwood House
Z prawej: High Street w Hampstead

Łąki, lasy i wrzosowiska **Hampstead Heath** tworzą prawdziwie wiejski krajobraz. Wspinamy się na **Parliament Hill**, skąd roztacza się wspaniały widok stolicy, następnie zmierzamy w kierunku północnym do **Kenwood House** (w lecie codz. 10.00-18.00, w zimie codz. 10.00-16.00). W rezydencji pałacowej, z widokiem na park projektu Roberta Adama, mieści się piękna kolekcja sztuki XVII i XVIII w. Niedaleko, na północnym krańcu Spaniards Road, stoi dawny XVI-wieczny zajazd dla dyliżansów, **Spaniard's Inn**, niegdyś często odwiedzany przez rozbójnika Dicka Turpina. Stamtąd już tylko 15 minutowy spacer w dół wzgórza, do stacji metra.

2. KEW GARDENS *(patrz załączony plan miasta)*

Wiktoriańskie cieplarnie, ekscentryczne ozdoby parku i 121 ha projektowanego krajobrazu.

Statek z Westminster Pier (od Wielkanocy do października; rejsy 90-minutowe, tel. 020-7930 2062) lub metro linii District do Kew Gardens.

Oficjalna nazwa Kew Gardens brzmi: Królewski Ogród Botaniczny – **Royal Botanic Gardens** (w lecie pon.-pt. 9.30-18.30, weekendy do 19.30; w zimie od 9.30 do zmierzchu). W 1731 r. syn Jerzego II, książę Fryderyk, założył tu ogród królewski, ale dopiero wdowa po nim, Augusta, zapoczątkowała ogród botaniczny w 1759 r. Ogród stał się znany, gdy botanik Joseph Banks wrócił w 1771 r. z odbytej podróży po świecie wraz z kapitanem Cookiem. Przywiózł wiele nieznanych roślin, które zasadził w Kew. W tym czasie park został zaprojektowany przez Williama Chambersa i Lancelota „Capability" Browna.

Obecnie rośnie w nim 30 tysięcy gatunków roślin. Warto tu przyjść o każdej porze roku. W lutym zobaczymy całe dywany krokusów i przebiśniegów, w maju dzwonki i azalie, w czerwcu rododendrony, a jesienią – kwitnące drzewa. Niektóre ciekawsze okazy roślin prezentowane są przez cały rok w cieplarni.

Jeśli przypłyniemy rzeką, od przystani do Bramy Głównej czeka nas 5-minutowy spacer. Jeśli przyjedziemy metrem, dojście do Bramy Wiktorii (która właściwie jest głównym wejściem) zajmie tylko kilka minut. We wspaniałej XVIII-wiecznej **Oranżerii** jest kawiarnia. Warto się wybrać na przejażdżkę po parku busem turystycznym, odjeżdżającym co godzinę spod Bramy Wiktorii.

Tropikalna dżungla

Największą atrakcją ogrodów Kew jest **Palm House** (Palmiarnia) z 1848 r. Wewnątrz kręcone schodki z kutego żelaza prowadzą na galerie przez gorący las tropikalny. Za nim znajduje się **Waterlily House** (ogródek lilii wodnych) z okrągłym stawem porośniętym gigantycznymi liliami amazońskimi. Nie można pominąć dwóch innych cieplarni – **Temperate House**, budowany w epoce wiktoriańskiej przez 40 lat, zdumiewa rozmachem; bardziej nowoczesna **Princess of Wales Conservatory** (Cieplarnia Księżnej Walii) podzielona jest na 10 stref klimatycznych, w których rośnie wszystko – od kaktusów po rośliny owadożerne. Przechodzenie z jednej do drugiej strefy przypomina wchodzenie i wychodzenie z sauny. Poza cieplarniami trasa spaceru zależy od pory roku. Warto odnaleźć dziwaczne ozdoby parku, jak np. wysmukła 9-piętrowa pagoda i klasycystyczna świątynia.

3. GREENWICH *(patrz załączony plan miasta)*

W historycznym Greenwich: Muzeum Morskie, Królewskie Obserwatorium i Kopuła Milenijna.

Statek z przystani Westminster, Charing Cross lub Embankment, albo kolej Docklands Light Railway do Cutty Sark.

Królowa Elżbieta I wsiadała na królewską barkę przy schodach Whitehall i płynęła nią do swego pałacu w Greenwich. Z mniejszą pompą, lecz wygodniej, statek z centrum Londynu zawiezie nas do jednego z najpiękniejszych kompleksów gmachów królewskich, wzniesionych przez Christophera Wrena i Inigo Jonesa na miejscu dawnej wiejskiej rezydencji Tudorów.

W doku Greenwich Pier stoi „**Cutty Sark**" (w lecie pon.-sob. 10.00-18.00, niedz. 12.00-18.00; w zimie do 17.00), statek-rekordzista w przywożeniu herbaty z Chin, a później wełny z Australii. Kursował w latach 1869-1922; był ostatnim i najszybszym kliprem. Jego nazwa oznacza krótką koszulkę szkocką, jaką demonstruje figura dziobowa statku. Dziś mieści on wspaniałą kolekcję figur dziobowych, pamiątek po flocie, której już nie ma.

Wielkie osiągnięcia ma na swym koncie niewielki jacht „**Gipsy Moth IV**", na którym Francis Chichester po raz pierwszy samotnie

Z lewej: Kew Palace. **Powyżej:** Waterlily House w Kew
Z prawej: Figura dziobowa z kolekcji „Cutty Sark"

opłynął świat w latach 1966-1967. Przepłynął 47 685 km w 226 dni. Obok znajduje się wejście do pieszego tunelu, prowadzącego pod Tamizą do Isle of Dogs (Wyspy Psów). Pokonawszy zimny tunel, zostajemy wynagrodzeni pięknym widokiem na Greenwich z drugiego brzegu rzeki, zwanym „widokiem królowej". Kto nie ma ochoty na wędrówkę, może kolejką Dockland Light Railway przejechać jeden przystanek do Island Gardens.

Wracamy do przystani w Greenwich brzegiem rzeki i mijamy dwa gmachy Royal Naval College. Pusta przestrzeń pozostawiona między nimi miała nie zasłaniać widoku z Domu Królowej. Dochodzimy do **Trafalgar Tavern** w stylu regencji, gdzie ministrowie przyjeżdżali na smażone szproty. Wędrujemy dalej, obok Yacht, Trinity Almshouses (Przytułku Świętej Trójcy) założonego w 1613 r. i elektrowni, do georgiańskiego pubu **Cutty Sark**, który wygląda jakby zbudowano go z desek okrętowych. Stąd widok na Greenwich Reach i Kopułę Milenijną.

Wracamy na Park Row i przechodzimy przez Romney Road do National Maritime Museum. Jego zachodnie i wschodnie skrzydła połączone są kolumnadami z odrestaurowanym niedawno **Queen's House** (Domem Królowej; codz. 10.00-17.00), zbudowanym przy starej Dover Road, która przez jakiś czas przecinała budynek Inigo Jonesa. Ta pierwsza budowla w stylu palladiańskim powstała dla Anny, żony Jakuba I, ale ukończono ją dopiero po śmierci królowej, za Karola I i Henrietty Marii. Godna podziwu jest piękna balustrada z kutego żelaza na Tulipanowych Schodach.

Wystawy **National Maritime Museum** (Narodowego Muzeum Morskiego; codz. 10.00-17.00) mieszczą się w zachodnim skrzydle. Niedawno zostało

U góry: Wejście do Royal Naval College
Powyżej: Czas Greenwich

przebudowane (kosztem 20 milionów funtów) i przekształcone w muzeum o dużo szerszej tematyce ekspozycji niż to sugeruje nazwa. Koniecznie trzeba zobaczyć królewską barkę z 1732 r. projektu Williama Kenta, bogato zdobioną rzeźbami lwów, smoków i innych stworów. Wspaniała galeria w całości poświęcona jest Nelsonowi. Jest tam nawet przedziurawiony pociskiem mundur, w którym admirał został śmiertelnie ranny w bitwie pod Trafalgarem.

Szkoła Marynarki Wrena
Wychodzimy na Romney Road i kierujemy się w prawo King William Walk do **Royal Naval College** (codz. 14.30-17.00), stojącego na miejscu dawnego pałacu Tudorów. Po obaleniu monarchii Cromwell założył w pałacu fabrykę sucharów dla swych wojsk w Szkocji. W 1694 r. zlecono Wrenowi zaprojektowanie w tym miejscu nie pałacu, lecz szpitala dla weteranów marynarki. Królewska Szkoła Marynarki Wojennej przeniosła się tu z Portsmouth w 1873 r. Dla publiczności dostępne są jedynie: Painted Hall w Gmachu Króla Wilhelma i Kaplica w Gmachu Królowej Marii. Malowidła Thornhilla w **Painted Hall**, wykonane w latach 1707-1726, dorównują wspaniałej architekturze. **Kaplica** pochodzi z 1742 r., ale po pożarze została odbudowana przez Jamesa Stuarta.

Naprzeciwko Szkoły Marynarki znajduje się **kryty bazar** z wyrobami artystycznymi i rękodzielniczymi. Przy kościele St Alfege's skręcamy w lewo. Mijamy Greenwich Theatre – wywodzący się z dawnego wodewilu, i idziemy na Croom's Hill. Pośród eleganckich XVII- i XVIII-wiecznych budowli uwagę zwraca balkon widokowy w stylu Wrena z 1672 r.

Po lewej stronie Chesterfield Walk stoi **Ranger's House** (kwiecień-październik codz. 10.00-18.00, listopad-marzec, śr.-niedz. 10.00-13.00 i 14.00-16.00), niegdyś dom lorda Chesterfielda z galerią portretów i kolekcją instrumentów muzycznych.

Za tym budynkiem skręcamy w lewo, kierując się do wspaniałego **parku Greenwich** – do XVIII w. królewskich terenów łowieckich, by zwiedzić **Old Royal Observatory** (Stare Obserwatorium Królewskie; codz. 10.00-17.00), założone przez Karola II w 1675 r. Zaprojektował je Wren dla królewskiego astronoma Flamsteeda. On i jego następcy mieszkali tu i pracowali, dopóki zanieczyszczone powietrze londyńskie nie zmusiło ich do przenosin. W 1884 r. oficjalnie przyjęto czas Greenwich i ustanowiono **południk zerowy**, oznaczony mosiężną sztabą, w miejscu, gdzie spotykają się wschód i zachód. Codziennie o 13.00 opada kula na maszcie, wskazując dokładny czas. Według niej ustawiano zegary. Biorąc pod uwagę rolę Greenwich w historii mierzenia czasu, nieprzypadkowo wybrano je na centrum uroczystości milenijnych w Wielkiej Brytanii.

Z prawej: Widok z Greenwich Park w kierunku Canary Wharf

Wracamy do przystani Greenwich, skąd docieramy autobusem lub statkiem płynącym w dół rzeki do **Millennium Dome** (Kopuły Milenijnej). Największa w świecie konstrukcja wystawiennicza zajmuje 100 ha. Od początku realizowania tego projektu w 1996 r. narastały kontrowersje, co nikogo nie dziwi, zważywszy na jego koszt (750 milionów funtów) i trwałość obliczaną na 25 lat. W chwili powstania przewodnika trwały rokowania z poważnymi międzynarodowymi koncernami na temat dalszego wykorzystania budowli.

4. HAMPTON COURT PALACE *(patrz załączony plan miasta)*

Ogromny XVI-wieczny pałac Hampton Court, w którym mieszkali kardynał Wolsey i Henryk VIII; labirynt Maze.

Pociąg z Waterloo do Hampton Court (30 min) lub statek z Westminster Pier (od Wielkanocy do października; rejsy 3-godzinne, tel. 020-7930 2062).

Z przystani krótsza droga wiedzie mostem przez fosę, ale najlepiej wejść przez **Trophy Gates** (od połowy marca do połowy października wt.-niedz. 9.30-18.00, pon. 10.15-18.00; przez pozostałą część roku wt.-niedz. 9.30-16.30, pon.10.15-16.30). Stąd najlepiej widać rozmiary i złożoność potężnego pałacu Tudorów, najeżonego wieżami i kominami. Za nim wznosi się dzieło Christophera Wrena, porównywane do Wersalu.

Kardynał Wolsey – syn rzeźnika, który awansował do najwyższej godności kościelnej – posiadał już rezydencję miejską w Whitehall, przyszły pałac. W 1514 r. nabył jeszcze dwór na wsi i wybudował tak wspaniałą rezydencję, że wzbudził zazdrość Henryka VIII. Kardynał postanowił zatem ofiarować ją królowi, ale nie zdążył, gdyż władca odebrał mu cały majątek. Oskarżony o zdradę stanu, po roku już nie żył. **Great Gatehouse** (Wieki Dom Bramny) Wolseya, początkowo dwupiętrowy, wznosi się nad suchą fosą i mostem zbudowanym przez Henryka VIII, a dopiero niedawno ponownie odsłoniętym, zniknął on

bowiem całkowicie po przeróbkach Karola II. **Base Court** (Dziedziniec Główny), całkowicie w stylu Wolseya, zabudowany jest ciemnoczerwoną cegłą. Za wielodzielnymi oknami znajduje się 280 pokoi gotowych na przyjęcie gości. Medaliony wykonał Giovanni da Maiano – osiem za jednego funta – w 1521 r. Kamienny dach **Bramy Anny Boleyn** zdobiony jest inicjałami Henryka i Anny zapętlonymi w ósemkę, symbolizującą miłość.

„Nowoczesne" upiększenia

Na **Clock Court** (Dziedzińcu Zegarowym) znajduje się zegar astronomiczny wykonany w 1540 r. przez Nicholasa Oursiana. W **Great Hall** (Wielkiej Sali) wybudowanej przez Henryka VIII, jest jedno z najpiękniejszych wykuszowych okien w Anglii. Kolumnada Wrena od południowej strony tak pasuje do stylu Tudorów, jak szklana piramida do Luwru. Wschodnia ściana z bramą została przebudowana przez Williama Kenta w 1732 r. w jego własnej wersji gotyku. Budynki Wolseya i króla Henryka nadają północnym częściom pałacu niemal domową atmosferę. Jakoś łatwiej uchwycić ducha tamtych czasów w **piwnicach na wino** i **kuchniach**, oddzielone schodami, zapleczem i salą Horn Room od stołu w Great Hall. Tam być może Szekspir i jego trupa zabawiali królową Elżbietę I. **Chapel Royal** (Kaplicę Królewską) widać tylko z Royal Pew, gdzie Henryk VIII uczestniczył w mszy, nie słuchając rozpaczliwego wołania o litość swej żony Katarzyny Howard w pobliskiej galerii. Po jej śmierci zaczęła się tam pojawiać postać w bieli i dochodziły jakieś krzyki, dlatego nazwano ją Galerią Duchów. Z ulgą wracamy do **komnat Wolseya**, zwłaszcza do salonu z piękną dekoracją i boazerią.

Fountain Court (Dziedziniec Fontann) odzwierciedla pomysł Wrena na przebudowanie dla Wilhelma Orańskiego i Marii II całego pałacu. Rozpoczął dzieło w 1685 r., lecz ukończył tylko fasadę wschodnią i południową. Rezultat może nie jest tak okazały, ale nie przytłacza jak Wersal. Wielkie schody prowadzą do **Apartamentów Króla i Królowej**, udekorowanych obrazami Verria, rzeźbą Gibbonsa i artystycznymi wyrobami kowalskimi Tijou. Wspaniałe są także ogrody, z **Great Vine** (Wielką Winoroślą), po z górą 200 latach wciąż zachwycającą; **Privy Gardens** – ogrodem w stylu formalnym, oraz **Maze** – labiryntem nie do rozszyfrowania. Pamiętacie może słowa Harrisa z książki Jerome'a K. Jerome'a *Trzech panów w łódce, nie licząc psa*: „Pochodzimy jeszcze z dziesięć minut i pójdziemy na lunch". Potraktujmy to jako przestrogę i idźmy najpierw na lunch. W pobliżu mieści się **Tiltyard Restaurant**, a także puby **Liongate** i **The King's Arms** przy Hampton Court Road, naprzeciw Trophy Gates.

Wracamy na przystań do statku w kierunku Richmond lub przechodzimy przez most do stacji kolejowej w kierunku Waterloo.

Z lewej: Privy Gardens za pałacem Hampton Court
Z prawej: Wejście do pałacu

W wolnym
czasie

ZAKUPY

Londyn jest rajem dla konsumentów, choć ceny nie zawsze są konkurencyjne w porównaniu ze sklepami na kontynencie europejskim i w USA. Najlepszy czas, żeby upolować coś taniego, to zimowe (styczeń) i letnie (lipiec) wyprzedaże (*sales*) w dużych domach towarowych. W wielu sklepach turyści z krajów spoza Unii Europejskiej mogą żądać zwrotu 17,5-procentowego podatku VAT, obowiązującego na większość towarów i automatycznie wliczanego w cenę, pod warunkiem, że cena była dostatecznie wysoka. Formularz otrzymany w sklepie wypełnia się i zostawia w biurze celnym przy wyjeździe z Wielkiej Brytanii.

Szczegółowe informacje na temat zakupów w Londynie znajdziemy w *Insight Guide Shopping in London*. Poniżej omawiamy zakupy w różnych rejonach Londynu, z których każdy ma własny charakter. *Godziny otwarcia sklepów podano na s. 87.*

Oxford Street i Regent Street

Oxford Street jest główną ulicą handlową w Anglii, zawsze zatłoczoną. Zachodni kraniec, między Oxford Circus a Marble Arch, to część bardziej elegancka. Wschodni dochodzi do Tottenham Court Road, centrum wyrobów elektronicznych i sklepów meblowych, w tym **Heal's** z dobrej jakości nowoczesnymi meblami. Na Oxford Street znajdziemy wszystkie najważniejsze firmy odzieżowe, jak **Gap** i **Benetton**. Są też duże filie sieci **Virgin** i **HMV Records**, nowy sklep sportowy **Niketown** przy Oxford Circus i kilka domów towarowych, z których największy to **Selfridge's**, wybudowany przez Amerykanina Gordona Selfridge'a i otwarty w 1909 r. Równie wielki **John Lewis** ma raczej tradycyjną ofertę towarów, ale zawsze dobrej jakości, i szczyci się tym, że nigdy świadomie nie zaniża cen. Filia **Marks & Spencer** przy Marble Arch to wizytówka tej

wiodącej brytyjskiej sieci sklepów, o ustalonej renomie, sprzedającej niedrogie ubrania dla całej rodziny.

Naprzeciwko stacji metra Bond Street nie rzucająca się w oczy uliczka prowadzi do St Christopher's Place, gdzie skupiły się modne sklepy. Po drugiej stronie Oxford Street, South Molton Street zmierza w kierunku Bond Street, znanej z dużej liczby luksusowych butików. Takie sklepy jak **Browns** oferują wybór modnych ubrań największych projektantów z całego świata.

Na Regent Street poważne zakupy zaczynać można przy Oxford Circus od **Dickins & Jones**, domu mody z klasą dla osób dojrzałych. Obok dom towarowy **Liberty**, pseudotudoriańską fasadą, słynie z przepięknych drukowanych materiałów, a także z dobrej marki bielizny, perfum i mebli. Pobliski **Hamley's** uważa się za największy w świecie sklep z zabawkami – zajmuje 7 pięter. Wędrując w kierunku Piccadilly znajdziemy więcej sklepów z artykułami dla dzieci: **The Disney Store, Warner Brothers Studio Store** i **Lego Kids**. Są tu również luksusowe sklepy z biżuterią i porcelaną, jak **Waterford**, **Wedgwood** i **Royal Doulton**. **Jaeger**, **Austin Reed** i **Aquascutum** oferują dobre, klasyczne angielskie ubiory i stroje codzienne na wycieczki za miasto.

Bond Street i Mayfair

Bond Street ma długą tradycję oferowania dobrej jakości towarów za wysoką cenę. Je-

Z lewej: Wyprzedaż w Covent Garden
Z prawej: Burlington Arcade

śli któraś z ulic Londynu jest wybrukowana złotem, to właśnie ta. Znajduje się na niej ponad 400 najbardziej elitarnych galerii sztuki i antyków oraz największe domy aukcyjne, najświetniejsi jubilerzy, jak **Tiffany, Cartier** i **Georg Jenson**, oraz najmodniejsi projektanci mody: **Valentino, Chanel, Lagerfeld, Donna Karan, Nicole Fahri** i inni. Południowy kraniec New Bond Street to wyłącznie biżuteria. **Asprey & Garrard**, typowo angielski sklep z królewską pieczęcią, specjalizuje się w starych srebrach. Na równoległej do Old Bond Street eleganckiej Burlington Arcade (*patrz trasa 3*) znajduje się szereg małych, ekskluzywnych sklepików.

St James's i Piccadilly

Okolica pełna klubów dla dżentelmenów, głęboko tkwiąca w tradycjach i „starym porządku". Znajdziemy tu wiele staromodnych sklepów z odzieżą męską, w tym szyte na miarę garnitury przy Savile Row i koszule przy Jermyn Street. Przy ponadczasowej St James's Street **John Lobb** szyje na zamówienie buty, a **James Lock** – kapelusze. Na Jermyn Street **George FTrumper** zaopatruje arystokrację w tradycyjne kosmetyki, a **Floris** dostarcza im najpiękniejszych perfum.

Dickensowski w stylu **Berry Bros & Rudd** przy St James's Street 3 ma piwnice pełne rzadkich win, a **JJ Fox** i **Davidoff** proponują świetny do tego dodatek – cenne, grube hawańskie cygara. **Fortnum & Mason** przy Piccadilly to od wieków dostawca egzotycznych i niezwykłych produktów spożywczych dla klas wyższych. Ceny są tam dwa razy wyższe niż w supermarkecie, ale wynagradza je jakość towarów, atmosfera sklepu i elegancka obsługa. Przy Piccadilly 203 mieści się największa księgarnia w Europie, **Waterstone's**. **Lillywhites** przy Piccadilly Circus ma największy wybór artykułów sportowych w Londynie.

Knightsbridge

Harrods przy Brompton Road zdominował ekskluzywny i supermodny rynek w dzielnicy Knightsbridge. Należy do największych i najsławniejszych domów towarowych świata, ma 300 działów i 4 tys. pracowników. Koniecznie trzeba zobaczyć bajkowe dekoracje edwardiańskie, wykładanej kafelkami hali spożywczej, w której można kupić wszystko – od koszy z prowiantem po melony pokrojone zgodnie z zamówieniem. Niedaleko mieści się **Harvey Nichols**, nazywany potocznie Harvey Nicks, gdzie każdy, kto coś znaczy, kupuje najmodniejsze ubrania. Za narożnikiem na początku Sloane Street również znajdziemy centrum najnowszej mody, ze sklepami wielu światowej klasy projektantów. Ład-

niej, milej i dziwaczniej jest na Beauchamp Place – pretensjonalny szyk butików obok sklepów ze starymi mapami i ekskluzywnymi produktami spożywczymi, np. umbryjskimi truflami.

King's Road i Fulham

Mimo wzrostu kosztów, który spowodował, że wiele ciekawych, niezależnych butików zniknęło, King's Road jest nadal centrum najnowszych trendów w modzie. Przy Sloane Square znajduje się jedyny dom towarowy Chelsea, **Peter Jones**, szczególnie znany z mebli i artykułów gospodarstwa domowego oraz bezkonkurencyjnych cen.

Na drugim końcu ulicy pod nr 430 mieści się World's End (Koniec Świata), wspaniały sklep Vivienne Westwood. Pod nr 398 znajduje się **American Classics**, sklep z używanymi ubraniami amerykańskimi. **Bluebird** pod nr 350 to jeden z najlepiej prezentujących się sklepów delikatesowych, założony przez Terence'a Conrana w dawnym garażu. On sam pewnie pochwaliłby większość mebli i tkanin w **Designer's Guild** pod nr 267. **Daisy & Tom** (nr 181) to popularny sklep z zabawkami, lepszy niż Hamley's, w którym znajdziemy kawiarenkę dla dzieci, a nawet dziecięcą stylistkę. **Antiquarius** pod nr 131-141 to najlepsze centrum handlu antykami przy tej ulicy. Pracuje tu ponad 120 sprzedawców. Artykuły markowe pod jednym dachem znajdziemy w **The Common Market** (nr 121). W **Joseph Sale Shop** pod nr 53 można trafić na wielkie wyprzedaże.

Warto również przejść się na północny koniec Fulham Road, do **The Conran Shop**, mieszczącego się w pięknym budynku Michelina pod nr 81, wyłożonym secesyjnymi kafelkami. Znajdziemy tam wszystko do domu – za odpowiednią cenę.

Kensington

Choć Kensington High Street okupowana jest przez sklepy znanych sieci, można tam znaleźć również wiele modnych ubiorów. Dalej od zgiełku High Street, przy Kensington Church Street mieszczą się, jedne z najlepszych i najdroższych w Londynie, sklepy z antykami, sprzedające wszystko – od oryginalnych dzieł sztuki po wschodnie dywany i europejską porcelanę.

Covent Garden i Soho

Przy wąskich uliczkach i placykach tej przebudowanej, charakterystycznej części miasta zadomowiło się wiele ciekawych sklepów i kramów z wyrobami rzemieślniczymi i pamiątkami. Przy Covent Garden, kiedyś głównym targu warzywno-owocowym Londynu, mieszczą się również sklepy projektantów mody: **Nicole Farhi**, **Agnes B**, **Paul Smith**, **Jones** (przy Floral Street) oraz **Michiko Koshino**, a także sklepy najlepszych sieci odzieżowych, jak **Jigsaw**, **Whistles**, **Hobbs**, **Woodhouse** i **Blazer**. Kilka dobrych, choć raczej drogich sklepów ze strojami z epoki można znaleźć przy Neal Street i Monmouth Street.

Oryginalne jest centrum zdrowej żywności przy **Neal's Yard**. Naprzeciwko – nowe, eleganckie centrum handlowe **Thomas Neal's**.

Stanford's przy Long Acre oferuje największy wybór map, przewodników i książek podróżniczych. Pobliska Charing Cross Road to raj dla miłośników książek. Roi się tam od księgarni, począwszy od gigantycznego **Foyles**, po większe sklepy, jak **Waterstone's**, **Blackwell's** czy **Borders** i małe antykwariaty gnieżdżące się przy Cecil Court, maleńkiej uliczce tylko dla pieszych mijanej po drodze na Trafalgar Square.

Soho prawie pozbyło się dawnego charakteru. Są tu obecnie sklepy z najnowszą, „szaloną" modą. Choć Carnaby Street po „swingujących latach sześćdziesiątych" straciła na popularności, na sąsiednich uliczkach, jak Newburgh Street i Fouberts Place duch innowatorski nie zanika. Dominujący nurt w modzie reprezentują **Jigsaw**, **Laura Ashley** i **French Connection** przy Argyll Street.

Kilka tradycyjnych włoskich sklepów delikatesowych z czasów, gdy Soho było bardziej „kontynentalne", nadal świetnie prosperuje (**Camisa & Son** przy Old Compton Street, **Lina Stores** przy Brewer Street) i sprzedaje doskonałe sery, szynkę i grzybki *porcini*. Wokół Gerrard Street skupiła się chińska dzielnica Chinatown z najlepszymi chińskimi sklepami spożywczymi.

Targi

Wszystko – od antyków po bibeloty i odzież z epoki oraz starocie, owoce i warzywa

Z lewej: Zabawianie publiczności w Covent Garden

– znajdziemy na **Portobello Road** (*patrz s. 53*) w sob. 8.00-18.00. To jakby kilka targów połączonych w jeden. Stoiska z owocami i warzywami są czynne pon.-pt., a z ubraniami i starociami pt. i niedz. Robią tu zakupy liczni miłośnicy antyków, toteż sprzedawcy wiedzą, co oferują i jak cenić swój towar. Poszukiwacze okazji powinni zajrzeć do małego, uroczego **Camden Passage** N1 (w Islington, nie w Camden) w śr. i sob. 8.00-16.00 oraz na targ **Bermondsey Square** SE1 w pt. 5.00-14.00, specjalizującego się w drobnych antykach i nastawionego na poważnych klientów.

Camden Market NW1 to w Londynie największy i najczęściej odwiedzany targ, nastawiony na młodą klientelę, szukającą używanych ubrań, wyrobów rzemieślniczych, modnej biżuterii i płyt. Podzielony jest na sześć sektorów, z których najpopularniejszy jest Camden Lock (codz. 10.00-18.00). Jak na całym targu, tak i tutaj nieprawdopodobnie tłoczno bywa w weekendy.

Przy **Brick Lane** E1 (niedz. 8.00-13.00) jest zupełnie inaczej niż przy Camden Market. Panuje tu nieład, rozgardiasz i atmosfera East Endu. Towary są tanie, ale mogą być uszkodzone. Niedaleko znajduje się **Columbia Road** E2 (niedz. 8.00-13.00), jeden z najbarwniejszych targów Londynu – z roślinami i kwiatami. **Petticoat Lane** wokół Middlesex Street E1 (niedz. 9.00-14.00) jest bardziej nastawiony na turystów niż Brick Lane i zawsze

zatłoczony, ale można tam upolować coś taniego z odzieży, zwłaszcza skórzanej. **Greenwich Market** (weekendy 9.00-17.00) to spokojny, kryty targ antyków, używanych książek, wyrobów rzemiosła i innych, wychodzący na okoliczne ulice. Raj dla poszukiwaczy.

Dobrej jakości owoce i warzywa po dostępnych cenach znajdziemy na **Berwick Street** W1 (*patrz s. 24*), ruchliwym, czynnym codziennie targu (pon.-sob. 8.00-18.00). **Leadenhall** EC3 (*patrz s. 37*), w pięknej hali targowej z wiktoriańskim dachem z ołowiu, został nobilitowany jako dobre źródło zaopatrzenia w mięso, drób i ryby (pon.-pt. 7.00-16.00). **Brixton Market** SW9 (pon.-sob. 8.00-16.00) to targ wzdłuż Electric Avenue oraz stały targ kryty. Oba oferują wspaniałe, egzotyczne produkty dla okolicznej wspólnoty afro-karaibskiej. **Borough Market** SE1 (pt.-sob. 10.00-18.00) to raj dla smakoszy oferujący egzotyczne grzybki, smaczne angielskie sery oraz dziczyznę i mięso strusia.

Jeden z targów hurtowych, Billingsgate, słynny ze świeżych ryb i wulgarnego języka, został przeniesiony do Docklands. Pozostał jedynie **Smithfield Meat Market** EC1 (pon.-pt. 5.00-10.30, patrz s. 59) i zaprasza odwiedzających. Natomiast **Spitafield** EC1, dawniej ogromny targ owocowo-warzywny, przekształcono w modny targ produktów rolnych z upraw organicznych (pt.-niedz. 10.00-17.00) oraz wyrobów rzemieślniczych (codz. prócz sob.).

Powyżej: Myszkowanie po targu na Brick Lane

GDZIE ZJEŚĆ

Londyn jest jednym z miast-potęg kulinarnych. Zawdzięcza to różnorodności kuchni z całego świata, ale także ponownemu odkryciu rodzimej kuchni brytyjskiej. Pomysłowi szefowie kuchni tchnęli nowe życie w tradycyjne angielskie przepisy, wzbogacając je elementami kuchni francuskiej i etnicznych. Jednak tradycyjny niedzielny lunch w postaci pieczeni lub ryby z frytkami jest nadal ważną częścią sceny kulinarnej, podobnie jak popołudniowa herbata, serwowana w wielu hotelach.

W centrum Londynu restauracje skupione są wokół West Endu. Największy wybór najciekawszych lokali posiada Soho, a Covent Garden oferuje dobre kolacje przed spektaklem. W Chinatown, w okolicy Gerrard Street, mieści się wiele restauracji kantońskich. Również w Bayswater znajdziemy liczne dobre restauracje etniczne.

Dobry posiłek w londyńskim lokalu może dużo kosztować, ale liczne restauracje, także te najlepsze, oferują tańsze zestawy w porze lunchu. Restauracje etniczne serwują dania doskonałej jakości, a puby, winiarnie i kawiarnie podają smaczne i niedrogie posiłki. Jeśli musimy się liczyć z pieniędzmi, polecamy angielską rybę i frytki na wynos. Szczegółowe informacje o restauracjach oraz rezerwacja: Restaurant Services, tel. 020-8888-8080.

W wymienionych poniżej lokalach określenie „drogo" za trzydaniowy posiłek dla dwóch osób z butelką wina i napiwkiem oznacza wydatek powyżej £90, w określonych „umiarkowanie" – od £50 do £90, a w określenie „niedrogo" – poniżej £50. W większości wymienionych tu restauracji konieczna jest wcześniejsza rezerwacja stolika, zwłaszcza na wieczór w czwartek, piątek i sobotę. Niektóre urządzają dwugodzinne przyjęcia, np. od 19.00 do 21.00. Więcej na temat restauracji można znaleźć w *Insight Eating In London*.

Restauracje
Tradycyjne brytyjskie
The Quality Chop House
94 Farringdon Road, EC1
tel. 020-7837 5093
XIX-wieczna jadalnia urzędników z City z zachowanymi oryginalnymi drewnianymi siedzeniami. Potrawy od błękitka w sosie koperkowym do zwykłego kotleta z jagnięcia. Umiarkowanie.

Rules
35 Maiden Lane, WC2
tel. 020-7836 5314
Ponad 200-letni lokal z klientelą ze świata literackiego. W sezonie dziczyzna, staroświeckie puddingi. Umiarkowanie drogo.

Simpsons-in-the-Strand
100 Strand, WC2
tel. 020-7836 9112
Wielka edwardiańska jadalnia i najlepsza pieczeń wołowa w Londynie. Bardzo tradycyjna, wymagany strój wizytowy. Drogo.

Nowoczesne brytyjskie
Alastair Little
49 Frith Street, W1
tel. 020-7734 5183
Prekursor nowej szkoły brytyjskiego gotowania. Umiarkowanie drogo.

Andrew Edmunds
46 Lexington Street, W1
tel. 020-7437 5708
Lokal w Soho o długiej tradycji, przytulny. Zachęcające przeciwieństwo krzykliwych efemeryd wokoło. Umiarkowanie.

Blue Print Café
Design Museum, Butler's Wharf, SE1
tel. 020-7378 7031
Pierwsza z wielu restauracji Terence'a Conrana w Londynie, z fantastycznymi widokami na Tamizę. Pyszne brytyjskie i śródziemnomorskie potrawy. Umiarkowanie.

The Eagle
159 Farringdon Road, EC1
tel. 020-7837 1353
Pierwszy z lokali, zwanych gastro-pubami, powstającymi teraz w Londynie. Zatłoczony i hałaśliwy, ale serwuje świetne brytyjsko-iberyjskie jedzenie. Bez rezerwacji. Niedrogo.

Mash
19-21 Great Portland Street, W1
tel. 020-7637 5555

Ultranowoczesna restauracja z barem. Potrawy kuchni śródziemnomorskiej. Zaskakujące toalety. Umiarkowanie.

Mezzo
100 Wardour Street, W1
tel. 020-7314 4000
Jedna z restauracji Terence'a Conrana, ogromna i bardzo modna. Potrawy pod wpływem kuchni śródziemnomorskiej.

Quaglino's
16 Bury Street, SW1
tel. 020-7930 6767
Przestronna sala, gdzie przychodzi się po to, by popatrzeć i być widzianym; dobrej jakości kuchnia typu brasserii. Umiarkowanie drogo.

Union Café
96 Marylebone Lane, W1
tel. 020-7486 4860
Nowoczesna kuchnia włoska i śródziemnomorska. Umiarkowanie.

Amerykańskie
Hard Rock Café
150 Old Park Lane, W1
tel. 020-7629 0382
Świątynia muzyki rockowej z kolekcją pamiątek związanych z rockiem, należy do światowej sieci. Muzyka zagłusza rozmowę i trzeba stać w kolejce, ale warto. Bez rezerwacji. Niedrogo.

Belgijskie
Belgo Centraal
50 Earlham Street, WC2
tel. 020-7813 2233

Dobre piwo, znakomite małże i *frites* oraz inne belgijskie dania, podawane w piwnicznych wnętrzach. Niedrogo.

Chińskie
Fung Shing
15 Lisle Street, W1
tel. 020-7437 1539
Jedna z najlepszych restauracji Chinatown, zawsze pełna gości. Umiarkowanie.

Rybne
Fish!
Cathedral Street, Borough Market, SE1
tel. 020-7836 3236
Tętniący życiem przeszklony, wiktoriański pawilon w cieniu katedry Southwark. Proste dania z najświeższych ryb. Umiarkowanie.

Livebait
43 The Cut, SE1
tel. 020-7928 7211
Świeże owoce morza, fantazyjnie podane w swobodnej atmosferze. Wykładana kafelkami restauracja za stacją Waterloo. Druga filia przy *21 Wellington Street, WC2, tel. 020-7836 7161.* Umiarkowanie.

Sea Shell
49 Lisson Grove, NW1
tel. 020-7224 9000
Znana restauracja serwująca rybę z frytkami na miejscu i na wynos. Duży wybór świeżych, dobrze przyrządzonych ryb. Niedrogo.

Sheekey's
28-32 St Martin's Court, WC2
tel. 020-7240 2565
Restauracja z długą tradycją, założona pod koniec XIX w. w pobliżu dzielnicy teatrów. Duży wybór potraw rybnych, w sezonie kilka rodzajów ostryg. Umiarkowanie.

Francuskie
Le Caprice
Arlington House, Arlington Street, SW1
tel. 020-7629 2239
Restauracja w stylu brasserii, w której modnie jest bywać. Wieczorem gra pianista. Smaczne późne śniadania niedzielne. Umiarkowanie.

Powyżej: Livebait w pobliżu stacji Southwark
Z prawej: Modny lokal Kensington Place

Club Gascon
57 West Smithfield, EC1
tel. 020-7796 0600
Pyszne i proste specjały gaskońskie, jak *foie gras* przyrządzone na co najmniej 9 różnych sposobów. Potrawy podawane w formie małych zakąsek. Konieczna jak najwcześniejsza rezerwacja. Umiarkowanie.

The Criterion
224 Piccadilly, W1
tel. 020-7930 0488
Najtańsza z londyńskich restauracji szefa kuchni Marco Pierre'a White'a. Nowoczesna kuchnia francuska i sala przypominająca kościół bizantyjski. Umiarkowanie.

Manzi's
1-2 Leicester Square, WC2
tel. 020-7734 0224
Ponadczasowa francuska restauracja, serwująca tradycyjne, dobrze przyrządzone dania z ryb. Umiarkowanie.

Le Palais du Jardin
136 Long Acre, WC2
tel. 020-7379 5353
Dobra brasseria w cywilizowanym otoczeniu Covent Garden. Umiarkowanie.

Saint M
St Martins Lane Hotel,
45 St Martin's Lane, WC2
tel. 0800 634 5500
Współczesna wersja klasycznej francuskiej brasserii w nietypowo zaprojektowanym hotelu. Świetna atmosfera, fantazyjne małe dania. Czynna całą dobę. Umiarkowanie.

Greckie
Lemonia
89 Regents Park Road, NW1
tel. 020-7586 7454
Chyba najlepsza grecka restauracja Londynu – duża, rojna i sympatyczna, w podmiejskim otoczeniu Primrose Hill. Niedrogo.

Hinduskie
Bombay Brasserie
Courtfield Close, SW7
tel. 020-7370 4040
Doskonałe jedzenie i stylowe wnętrze przypominające czasy imperialne. Polecamy stoliki na oszklonej werandzie. Umiarkowanie drogo.

Khan's
13 Westbourne Grove, W2
tel. 020-7727 5420
Słynie z dobrej jakości potraw. Wieczorami zatłoczona. Panuje tu wieczna krzątanina. Nie sposób siedzieć zbyt długo nad jednym posiłkiem. Niedrogo.

The Red Fort
77 Dean Street W1
tel. 020-7437 2410
Znana i ceniona restauracja w Soho, ze świetną kuchnią indyjską, wygodnie urządzona. Umiarkowanie.

w wolnym czasie

Włoskie
Bertorelli's
44A Floral Street, WC2
tel. 020-7836 3969
Dobra, ale tłoczna restauracja w Covent Garden, z doskonałymi daniami regionalnymi, a także makaronami i wyborem dobrych włoskich win. Umiarkowanie.

Orso
27 Wellington Street, WC2
tel. 020-7240 5269
Nieustannie popularna wśród ludzi teatru. Przyjemny, prosty wystrój, choć w suterenie. Prawdziwa kuchnia północnych Włoch.

Pizza Express
10 Dean Street, W1
tel. 020-7439 8722
Uważana za najlepszą sieć pizzerii w Londynie. Filia przy Dean Street oferuje dodatkową atrakcję: jazz „na żywo" w suterenie. Filia najwyższej klasy to **Pizza on the Park**, *11-13 Knightsbridge, tel. 020-7235 5550*, a najmodniejsza jest **Kettner's**, *29 Romily Street, tel. 020-7287 8373*, z oddzielnym barem i pianistą jazzowym. Rezerwacja niepotrzebna. Niedrogo.

Pollo
20 Old Compton Street, W1
tel. 020-7734 5917
Bardzo tania, uznana *trattoria* w Soho. Bez dodatków, ale duże i syte porcje makaronu. Bez rezerwacji. Niedrogo.

Zafferano
15 Lowndes Street, SW1
tel. 020-7235 5800
Prawdopodobnie najlepsza włoska restauracja w Londynie. Z pierwszej klasy produktów przyrządzane są wyjątkowe dania, jak królik z szynką parmeńską i polenta, czy lody *grappa*. Drogo.

Japońskie
Wagamama
4 Streatham Street, WC1
tel. 020-7323 9223
Smaczne kluski, pierogi itp., podawane na prostych, długich stołach. Niezwykle popularna – kolejki. Filie: *10A Lexington Street* i *101A Wigmore Street*. Bez rezerwacji. Niedrogo.

Malajskie
Melati
21 Great Windmill Street, W1
tel. 020-7437 2745
W dość zapuszczonej części Soho. Od 20 lat serwuje obfite porcje aromatycznych potraw malajskich i indonezyjskich. Niedrogo.

Meksykańskie
Café Pacifico
5 Langley Street, WC2
tel. 020-7379 7728
Młodzieżowy, hałaśliwy lokal teksańsko--meksykański w przebudowanej hurtowni w Covent Garden. Niedrogo.

Wyspy Pacyfiku
Sugar Club
21 Warwick Street, W1
tel. 020-7437 7776
Świetne potrawy przygotowywane przez kucharzy z antypodów, z elementami kuchni azjatyckich. Wygodnie urządzony. Umiarkowanie drogo.

Asia to Cuba
St Martins Lane Hotel
45 St Martin's Lane, WC2
tel. 0800 634 5500
Kuchnia typu fusion. Duży ruch, ale małe porcje. Czynne 24 godziny na dobę. Umiarkowanie.

Hiszpańskie
Moro
34-36 Exmouth Market, EC1
Tel. 020-7833 8336
Pyszne hiszpańskie i północnoafrykańskie przekąski *tapas* i mięso z rusztu. Swobodnie. Umiarkowanie.

Tajskie
Churchill Arms
119 Kensington Church Street, W8
tel. 020-7792 1246
Wspaniałe dania tajskie serwowane w nietypowym wystroju tradycyjnego pubu. Niedrogo.

Wegetariańskie
Mildred's
45 Lexington Street, W1
tel. 020-7494 1634
Kuchnia z wyobraźnią. Niedrogo.

Rasa
6 Dering Street, W1
tel. 020-7629 1346
Znakomite wegetariańskie dania z rejonu Kerali w Indiach. Tylko dla niepalących. Niedrogo.

Thai Garden
249 Globe Road, E2
tel. 020-8981 5748
Nagradzane dania wegetariańskie i owoce morza. Niedrogo.

Food for Thought
Neal Street, Covent Garden
tel. 020-8981 5748
Dobre jedzenie w przytulnej atmosferze. W godzinie szczytu trudno o miejsce. Codziennie inne menu. Niedrogo.

Warto odwiedzić
The Ivy
1 West Street, WC2
tel. 020-7836 4751
Wspaniały wystrój wnętrza z dziełami sztuki i smaczne potrawy, np. wołowina duszona w porterze. Umiarkowanie.

Kensington Place
201 Kensington Church Street, W8
tel. 020-7727 3184
Modna restauracja w stylu nowojorskim, zawsze pełna gości. Swobodna atmosfera. Umiarkowanie.

Langan's Brasserie
Stratton Street, W1
tel. 020-7491 8822
Znane osoby, które odwiedzają ten lokal, przyćmiewają jedzenie. Współwłaścicielem jest Michael Caine. Umiarkowanie drogo.

The Oxo Tower
Barge House Street, SE1
tel. 020-7803 3888
Na najwyższym piętrze budynku Oxo Tower Wharf, z widokiem na rzekę. Brasseria i restauracja z kuchnią europejską. Umiarkowanie drogo.

Najlepsi szefowie kuchni

Chez Nico
90 Park Lane, W1
tel. 020-7409 1290
Perfekcjonista Nico Ladenis z pasją kultywuje klasyczną francuską kuchnię. Bardzo drogo (minimum 100 funtów od osoby za kolację).

La Gavroche
37 Upper Brook Street, W1
tel. 020-7408 0881
Oficjalna, klubowa atmosfera i fantastyczna kuchnia francuska Michela Rouxa, syna słynnego Alberta. Bardzo drogo (co najmniej £100 od osoby za kolację).

Kolacje w hotelu

Takie hotele, jak **Savoy**, **Inn on Park**, **Connaught** i **Capital** mają znakomite, eleganckie restauracje. Najlepsze hotele Londynu, jak **Claridges, Ritz** i **Savoy**, to również najlepsze miejsca na tradycyjną popołudniową herbatkę z babeczkami, śmietanką, kanapkami i ciastkami, w cenie około £20 od osoby. Konieczna rezerwacja. W weekendy **Waldorf Meridien** urządza herbatki taneczne.

Bary i puby

Poniżej zamieszczamy adresy najbardziej typowych w mieście lokali, w których serwowany jest alkohol.

Bary
The American Bar
Savoy Hotel, The Strand, WC2
Zegar w stylu *art déco*. Wymagana marynarka i krawat.

Powyżej: Stylowe wnętrze Rasy

Atlantic Bar & Grill
20 Glasshouse Street, W1
Modny lokal ze wspaniałą salą balową w stylu *art déco*, odtwarzający atmosferę statku pasażerskiego z lat 30. XX w. Również dobra restauracja.

Bar des Amis du Vin
11-13 Hanover Place, WC2
Ciemny, nastrojowy bar w suterenie, w którym serwowane są dobre wina i francuskie przekąski.

Market Bar
240A Portobello Road, W11
Dawny pub, oryginalnie przeobrażony w modną knajpkę Notting Hill.

Puby
The Anchor
1 Bankside, SE1
Staroświecki z nadrzecznym tarasem.

The Black Friar
174 Queen Victoria Street, EC4
Secesyjne wnętrze, w City.

Cutty Sark
Lassell Street, SE10
W Greenwich nad rzeką, z charakterem.

The Dove
19 Upper Mall, W6
Przytulna, stara nadrzeczna gospoda w Hammersmith.

George Inn
77 Borough High Street, SE1
Piękny XVII-wieczny zajazd dla dyliżansów, własność National Trust, brytyjskiego towarzystwa opieki nad zabytkami.

King's Head
115 Upper Street, N1
Pub z teatrem w Islington. Ceny w starych funtach, szylingach i pensach.

Museum Tavern
49 Great Russell Street, WC1
Staroświecki pub naprzeciwko British Museum, gdzie ponoć bywał Karol Marks.

Red Lion
Crown Passage
(w bok od Pall Mall), SW1
Miła oaza w sercu królewskiego Londynu.

The Spaniards Inn
Spaniards Lane, NW3
XVI-wieczny zajazd w Hamsptead, z pięknym ogrodem.

Ye Olde Cheshire Cheese
145 Fleet Street, EC4
Przytulny, historyczny, XVII-wieczny pub.

KULTURA I ROZRYWKA
Teatr

Teatralny świat londyńskiego West Endu skupia się wokół Shaftesbury Avenue i Co-

Powyżej: George Inn przy południowym wjeździe na London Bridge (*patrz s. 41*)

vent Garden, gdzie niektóre przedstawienia grane są przez dziesięciolecia. Najważniejsze sceny poza West Endem to **Royal National Theatre** przy South Bank, **Royal Court** przy Sloane Square, mający opinię nowatorskiego, oraz **The Donmar Warehouse** w Covent Garden i **Almeida** w Islington, które niedawno zwabiły na deski swych scen gwiazdy Hollywood.

Spektakle na West Endzie cieszą się dużą popularnością i o bilety może być trudno. Jeśli nie możemy ich zarezerwować w kasie teatru (można telefonicznie korzystając z karty kredytowej), spróbujmy najpierw w agencjach **Ticketmaster** (020-7344 4000) gdyż inne pobierają dużą opłatę. Unikajmy „koników", bo nieuchronnie zedrą z nas skórę, a czasem mogą też sprzedać fałszywe bilety.

W kiosku na Leicester Square można dostać bilety za pół ceny plus niewielka opłata, ale tylko w dniu przedstawienia. Płatne wyłącznie gotówką. Kiosk czynny codz. 10.00-17.00, niedz. 12.00-15.00. Mogą być długie kolejki. Niektóre teatry sprzedają tzw. zwroty w kasie od godz. 10.00 w dniu spektaklu.

Program teatrów West Endu i wielu innych teatrów londyńskich znajdziemy w tygodniku *Time Out*, w *London Evening Standard* i innych ważniejszych krajowych gazetach.

Muzyka klasyczna

Główne sceny:
Barbican Centre
Silk Street, EC2
tel. 020-7638 4141
Siedziba Londyńskiej Orkiestry Symfonicznej.

Royal Albert Hall
Kensington Gore, SW7
tel. 020-7589 8212
Każdego lata koncerty promenadowe.

Royal Festival Hall
South Bank, SE1
tel. 020-7960 4242
Najważniejsza sala koncertowa muzyki klasycznej.

Wigmore Hall
36 Wigmore Street, W1

tel. 020-7935 2141
Wspaniałe koncerty kameralne.

Opera i balet

Główne sceny:
London Coliseum
St Martin's Lane, WC2
tel. 020-7632 8300
Siedziba English National Opera (Angielskiej Opery Narodowej). Latem występuje tu Royal Festival Ballet i inne ważniejsze zespoły.

The Royal Opera House
Covent Garden, WC2
tel. 020-7304 4000
Siedziba Royal Opera and Royal Ballet (Królewskiej Opery i Baletu), otwarta ponownie w 1999 r., po kontrowersyjnej przebudowie za 214 mln funtów. Opery wystawiane są w oryginale. Stroje galowe.

Sadler's Wells
Rosebery Avenue, EC1
tel. 020-7863 8000
Przebudowany w 1998 r., stanowi najlepszą scenę gościnną dla najwyższej klasy brytyjskich i zagranicznych baletów i zespołów tanecznych.

Kina

W doskonale wyposażonych kinach przy Leicester Square odbywają się premiery najnowszych filmów. Ale uwaga: bilety w tych

Z prawej: Prince Edward Theatre na West Endzie

kilku multikinach są dużo droższe niż gdzie indziej (wieczorem powyżej £8).

Institute of Contemporary Arts (ICA)
Nash House, The Mall, SW1
tel. 020-7930 3647
Centrum sztuki z dwoma kinami wyświetlającymi filmy eksperymentalne i zagraniczne z napisami (*patrz s. 27*).

National Film Theatre
South Bank, SE1
tel. 020-7928 3232
Filmy ambitne i klasyka (*patrz s. 38*).

Coronet Cinema
Notting Hill Gate W11
tel: 020-7727 6705
Zabytkowe kino z balkonami, prezentujące bieżące hity kasowe.

Electric Cinema
Portobello Road W11
tel. 020-7908 9696
Stare filmy i najnowsze przeboje w odnowionym wnętrzu.

Ritzy
Coldharbour Lane, Brixton SW2
tel. 020-7733 2229
Jedno z najbardziej klasycznych kin Londynu, wyświetla ostatnie przeboje kasowe i filmy zagraniczne.

Nocne kluby

Wiele nocnych klubów gości spektakle jednorazowe innych scen. Wstęp kosztuje £5-15. Szczegółowy program drukuje „Time Out", łącznie z radami dotyczącymi etykiety. Większość klubów „rozkręca się" między 23.00 a północą.

Equinox Discotheque
Leicester Square, WC2
tel. 020-7437 1446
Olbrzymia, słynna z pokazów świetlnych, jedna z największych dyskotek w Europie. Przyciąga tłumy młodzieży zarówno w eleganckich, jak i swobodnych strojach.

The Fridge
Town Hall Parade, Brixton Hill, SW2
tel. 020-7326 5100
Popularny klub na południowym brzegu rzeki. Znany z efektownych imprez jednorazowych i imprez dla homoseksualistów.

Heaven
The Arches, Craven Street, WC2
tel. 020-7930 2020
Jeden z najlepszych klubów tanecznych w mieście, pod budynkami dworca Charing Cross. Także najsłynniejszy klub dla homoseksualistów w Londynie. Ubiór swobodny.

Hippodrome
Charing Cross Road, WC2
tel. 020-7437 4311
Stosuje wszelkie możliwe sztuczki techniczne. Elegancki, ale pełen turystów.

Limelight
136 Shaftesbury Avenue, W1
tel. 020-7434 0572
Klub w dawnym kościele. Miłośników muzyki zachwyca akustyka tego miejsca.

Ministry of Sound
103 Gaunt Street, SE1
tel. 020-7378 6528
Ten ogromny, robiący wrażenie klub jest uznanym ośrodkiem muzyki *house* w Londynie. Jeśli uda się wejść (kolejki bywają długie), można tańczyć do rana.

Z lewej: Reklama National Film Theatre

Salsa Club
96 Charing Cross Road, WC2
tel. 020-7379 3277
Popularny i sympatyczny klub i bar, gdzie atmosfera jest tak samo entuzjastyczna, jak grana w nim latynoska muzyka. Strój swobodny.

Stringfellows
16 Upper St Martin's Lane, WC2
tel. 020-7240 5534
Dyskoteka nabrała nieco kiczowatego charakteru i nie jest już tak modna jak kiedyś.

Wag Club
35 Wardour Street, W1
tel. 020-7437 5534
Klub w Soho czynny w weekendy do 6.00 rano. Muzyka taneczna dla wytrzymałych i bar owocowy dla podtrzymania sił. Supermodnie.

Komedia

The Comedy Store
1 Oxendon Street, W1
tel. 020-7344 0234
Najbardziej znana scena komediowa w Wielkiej Brytanii. Improwizacje, popisy masochistów i dużo więcej. Wielu znanych aktorów – na scenie i na widowni.

Jongleurs Battersea
The Cornet, 49 Lavender Gardens, SW11
tel. 0870 787 0707
Scena znana od dawna z występów najlepszych komików. Inne sceny Jongleurs znajdują się w Camden i Bow we wschodnim Londynie (rezerwacja pod tym samym telefonem).

Kabaret

Madame Jo Jo's
8-10 Brewer Street, W1
tel. 020-7734 3040
Daleki od blichtru dawnego Soho, kabaret ten nadal wystawia męskie ślicznotki – transwestytów w cudownych, błyszczących kreacjach.

Jazz

Dover Street Wine Bar
8-9 Dover Street, W1
tel. 020-7629 9813

Nastrojowa restauracja w suterenie, gdzie jedząc kolację przy świecach można posłuchać „na żywo" jazzu, soulu lub rytm & bluesa. Czynna do 3.00 rano. Popularna wśród samotnych.

Jazz Café
5 Parkway, NW1
tel. 020-7344 0044
Fantastyczna atmosfera w nowoczesnym wnętrzu z małą sceną, goszczącą różnorodne najbardziej znane zespoły jazzowe.

100 Club
100 Oxford Street, W1
tel. 020-7636 0933
Proste wnętrza i dwa bary serwujące drinki po cenach obowiązujących w pubach – oto znana scena jazzu i rytm & bluesa na żywo, w wykonaniu uznanych, a także początkujących muzyków.

Ronnie Scott's
47 Frith Street, W1
tel. 020-7439 0747
Najsłynniejsza scena jazzowa w Londynie, gdzie kolacja i obsługa są tylko dodatkiem do muzyki i atmosfery. Trzeba przyjść wcześnie, zwłaszcza w weekend, gdyż popularność klubu nie spadła mimo śmierci w 1996 r. jego założyciela, Ronnie Scotta.

Powyżej: Chłopcy idą się zabawić

KALENDARZ IMPREZ

Dokładne daty imprez w danym roku podaje automatyczna informacja telefoniczna London Tourist Board, *patrz s. 90*, oraz magazyn *Time Out*.

Styczeń

London Parade (1 stycznia). Uroczysta parada z Parliament Square do Berkeley Square.
London International Boat Show. Międzynarodowy Pokaz Łodzi, ExCel Centre.
Charles I Commemoration (ostatnia niedziela). Obchody ku czci Karola I. Angielskie Towarzystwo Wojny Domowej organizuje przemarsz rojalistów z St James's Palace do Banqueting House.

Luty

Accession Day (6 lutego). Dzień Objęcia Tronu. Naprzeciwko hotelu Dorchester, Hyde Park – salwy armatnie dla uczczenia rocznicy objęcia tronu przez królową.
Chiński Nowy Rok. Barwne, chińskie święto ze smokami i rękodziełem, obchodzone w rejonie Gerrard Street w Chinatown.

Marzec

Ideal Home Exhibition. Wystawa „Idealny Dom". Earl's Court.
Oxford and Cambridge Boat Race. Doroczny wyścig wioślarski między dwoma uniwersytetami, rozgrywany na Tamizie od Putney do Mortlake.

Head of the Race. Kolejny wyścig wioślarski na tej samej trasie, ale w przeciwnym kierunku – z Mortlake do Putney, tym razem setki łodzi.
Chelsea Antiques Fair. Targi Antyków. Old Town Hall, King's Road, SW3.
London Harness Horse Parade (poniedziałek wielkanocny). Battersea Park. Parada platform i pojazdów konnych.

Kwiecień

London Marathon. Maraton Londyński. Jeden z największych i najbarwniejszych na świecie, z wieloma uczestnikami biegnącymi w celach dobroczynnych w przebraniu. Trasa od parku w Greenwich do Westminsteru.
Queen's Birthday (21 kwietnia). Urodziny królowej. Salwy honorowe oddawane są w Hyde Parku i Tower.

Maj

Chelsea Flower Show. Wystawa kwiatów w Chelsea Royal Hospital. Główna wystawa ogrodnicza dla profesjonalistów i amatorów.
Royal Windsor Horse Show. Pokaz konny w Windsor Great Park.
Oak Apple Day, Chelsea Royal Hospital. Parada weteranów z Chelsea ku czci fundatora szpitala, Karola II.

Czerwiec

Beating the Retreat. Parada gwardii konnej, Whitehall. Popis orkiestr wojskowych.
Derby Day, tor wyścigowy w Epsom. Słynne wyścigi konne 3-latków.
Royal Academy Summer Exhibition. Letnia Wystawa Akademii Królewskiej, Burlington House, Piccadilly. Duża wystawa prac artystów zawodowych i amatorów, czynna do sierpnia.
Trooping the Colour. Parada gwardii konnej. Oficjalne obchody urodzin królowej, z paradą barw pułkowych, orkiestrami i pokazem lotniczym.
Royal Ascot. Eleganckie spotkanie na wyścigach, zaszczycane obecnością rodziny królewskiej.
Grosvenor House Art and Antiques Fair. Targi Antyków, Grosvenor House Hotel, Park Lane.
Wimbledon Lawn Tennis Championships. Mistrzostwa w Tenisie Ziemnym.

Słynny turniej tenisa na kortach trawiastych.

City of London Festival. Teatry, hale gildii i kościoły w City dają wysokiej klasy spektakle muzyczne (do połowy lipca).

Lipiec

Henley Royal Regatta, Henley-on-Thames, Oxfordshire. Międzynarodowe regaty wioślarskie i ważna impreza towarzyska londyńskiej socjety.

Henry Wood Promenade Concerts, Royal Albert Hall. Cykl koncertów promenadowych muzyki klasycznej, znany jako „Proms".

Swan Upping. Rejestrowanie łabędzi na Tamizie.

Doggett's Coat and Badge Race, London Bridge. Wyścig wioseł jednopiórowych od Mostu Londyńskiego do Chelsea.

Greenwich and Dockland Festival. Imprezy artystyczne na różnych scenach na północ i południe od Tamizy.

Sierpień

Notting Hill Carnival, Ladbroke Grove (weekend pod koniec miesiąca). Największy w Europie karaibski karnawał uliczny.

Wrzesień

Horseman's Sunday, Church of St John and St Michael, W2. Nabożeństwo poranne w kościele św. św. Jana i Michała, w intencji jeźdźców konnych.

The Great River Race. Wielki Wyścig Rzeczny. Ponad 150 barwnych statków – od barek w stylu wikingów po chińskie łodzie w kształcie smoków.

Październik

Costermongers' Pearly Harvest Festival (pierwsza niedziela). Perłowy Festiwal Straganiarzy, kościół St Martin-in-the-Fields, Trafalgar Square. „Perłowi" królowie i królowe z londyńskiej wspólnoty cockneyów uczestniczą w nabożeństwie w tradycyjnych strojach wyszywanych perłowymi guzikami.

Judges' Service. Nabożeństwo sędziów. Początek sezonu prawniczego w Wielkiej Brytanii; procesja sędziów w strojach urzędowych z Opactwa Westminsterskiego do Parlamentu.

Z prawej: „Perłowa królowa" Festiwalu Straganiarzy

Trafalgar Day Parade (niedziela najbliższa 21 października). Upamiętnia zwycięstwo Nelsona pod Trafalgarem.

London Motor Show, Earl's Court.

Listopad

London to Brighton Veteran Car Run (pierwsza niedziela). Wyścig samochodów-weteranów z Londynu do Brighton. Start z Hyde Parku.

Lord Mayor's Show. Parada Burmistrza. Orszak wyrusza z Guildhall w City do sądów królewskich w Aldwych, by uczcić jego wybór.

Guy Fawkes Night (5 listopada). Fajerwerki i ogniska, nawiązujące do nieudanej próby wysadzenia w powietrze Parlamentu przez Guya Fawkesa w 1605 r. Szczególnie efektowne w Battersea Park i Parliament Hill.

Remembrance Sunday (Niedziela Pamięci Narodowej, najbliższa 11 listopada). Złożenie wieńca pod Cenotafem na Whitehall dla uhonorowania ofiar wojen.

State Opening of Parliament. Izba Lordów, Westminster. Uroczystego otwarcia sesji po przerwie letniej dokonuje królowa, która przyjeżdża z Buckingham Palace do Westminsteru paradną karocą.

London Film Festival. Londyński Festiwal Filmowy, National Film Theatre i kina West Endu. Dwa tygodnie filmów światowych.

Christmas Lights (Świąteczne Lampki) zapalane są na Oxford Street i Regent Street.

Grudzień

International Showjumping Championships. Międzynarodowe Mistrzostwa Jeździeckie w Skokach. Olympia Exhibition Centre.

January sales. Początek wyprzedaży.

New Year's Eve (Sylwester). Tysiące ludzi zbierają się na Trafalgar Square.

Informacje *praktyczne*

PLANOWANIE PODRÓŻY

Przylot samolotem
Lotnisko Heathrow. Najszybszy środek transportu do centrum Londynu to nowa szybka kolej Heathrow Express do Paddington Station (tel. 0845 6001515). Pociągi odjeżdżają co 15 min, od 5.10 do 23.30, dojazd trwa 15-20 min. Drogo – £13 w jedną stronę. Najtaniej można dojechać metrem linii Piccadilly. Podróż do stacji Piccadilly trwa 50 min i kosztuje £3,80. Można też wsiąść do czerwonego, piętrowego autobusu Airbus, zabierającego pasażerów ze wszystkich terminali. Kursuje on codziennie w odstępach półgodzinnych, od 5.00 do 22.30 i przejazd kosztuje £15 w obie strony. Autobus A2 kursuje do King's Cross przez Marble Arch, Baker Street i Russell Square. Całodobowa informacja Airbus – tel. 08705 808080. Poza godzinami szczytu autobus jedzie szybciej niż metro. Czarna taksówka kosztuje ok. £35 i zależnie od ruchu na ulicach dojazd zajmie jej co najmniej godzinę.

Lotnisko Gatwick. Z Gatwick kursuje pociąg Gatwick Express do dworca Victoria Station. Odjeżdża co 15 min, a w godzinach 14.00-17.00 co 30 min. Dojazd trwa pół godziny i kosztuje £11 w jedną stronę. Przejazd pociągami linii Connex South Central do Victoria Station, kursującymi całą dobę, trwa kilka minut dłużej, ale kosztuje £9. Autobusy Natioonal Express odjeżdżają z terminalu północnego i południowego; dojazd do Victorii trwa ok. 90 min, bilet w jedną stronę kosztuje £5.

Lotnisko Luton. Nowe bezpośrednie połączenie kolejowe do dworca King's Cross. Podróż trwa ok. 40 min. Autobus Green Line 757 do Victorii jedzie 75 min.

Lotnisko Stansted. Pociągi do dworca Liverpool Street kursują co 15-30 min w godzinach 5.00 do 23.00. Dojazd trwa 45 min, bilet £13,80 w jedną stronę.

Lotnisko London City. Pomimo niewielkiej odległości od miasta (10 km), z tego lotniska nie ma dobrej komunikacji. Najlepiej dojechać autobusem do Canary Wharf (10 min, £3.50) lub Liverpool Street Station (25 min, £6), skąd dalej transportem publicznym.

Eurostar
Pociągi Eurostar (tel. 08705 186186) dojeżdżają do międzynarodowego dworca Waterloo na południowym brzegu rzeki. Stąd dobre połączenie metrem: linie Northern, Bakerloo i Jubilee.

Paszporty
Przy wjeździe do Wielkiej Brytanii należy mieć ważny paszport. Posiadacze paszportów większości krajów europejskich, obu Ameryk, Afryki Południowej, Japonii i większości państw brytyjskiej Wspólnoty Narodów nie muszą posiadać wizy przy wjeździe na terytorium Zjednoczonego Królestwa na krótki pobyt. W razie wątpliwości lepiej zasięgnąć informacji w Ambasadzie Brytyjskiej w swoim kraju.

Z lewej: Stylowe budki telefoniczne
Z prawej: Odkryty autobus turystyczny

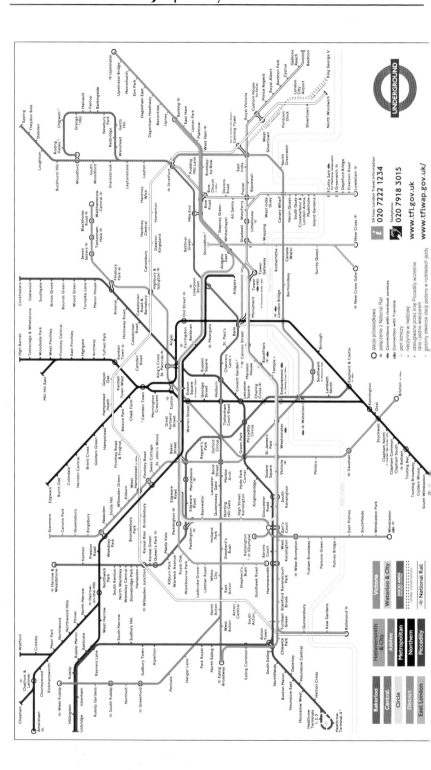

Przepisy celne

Strefę wolnocłową w ruchu między krajami UE zlikwidowano w 1999 r., ale turyści z krajów UE wwożący towary, za które już opłacili cło we własnym kraju, mają zwiększony limit (np. 90 l wina i 800 szt. papierosów, lub inną ilość na osobisty użytek).

Nie wolno wwozić zwierząt, roślin, łatwo psującej się żywności, niektórych leków, broni i materiałów obscenicznych bez uprzedniego zezwolenia. Nie ma ograniczeń co do ilości waluty brytyjskiej wwożonej do Wielkiej Brytanii.

Klimat

Londyńskie zimy są zimne i wietrzne, ale śnieg pada rzadko. W pełni lata temperatura sięga 27°C. Pogoda jest nieprzewidywalna, możliwe są znaczne skoki temperatury albo nagłe duże opady deszczu. Należy się zaopatrzyć w dobre ubranie przeciwdeszczowe i zakładać kilka warstw odzieży.

Czas

Czas letni (BTS) obowiązuje od marca, kiedy Brytyjczycy przesuwają wskazówki zegara o godzinę do przodu, do października, gdy cofają ponownie do czasu Greenwich (GMT).

Dni wolne od pracy

Nowy Rok, Wielki Piątek, Poniedziałek Wielkanocny, May Day (pierwszy poniedziałek maja), Spring Bank Holiday (ostat-

ni poniedziałek maja), August Bank Holiday (ostatni poniedziałek sierpnia), Boże Narodzenie (25, 26. grudnia). Wiele sklepów otwartych jest w tzw. święta publiczne, zwane *bank holidays*.

Elektryczność

Prąd elektryczny w Wielkiej Brytanii ma napięcie 220-240 V. Większość hoteli ma gniazdka 110 V do golarek.

Godziny otwarcia sklepów

Sklepy w Londynie otwarte są zwykle od godz. 9.00 do 17.30 od poniedziałku do soboty. Sklepy w centrum miasta rzadko mają przerwę na lunch i otwarte są dłużej, zwłaszcza wokół Covent Garden i Piccadilly Circus. Niektóre pracują w niedzielę, zwłaszcza kioski z gazetami, małe sklepy spożywcze i wielkie supermarkety z dala od centrum. Do 20.00 otwarte są w czwartki sklepy przy Oxford Street i Regent Street, a w środy przy Knightsbridge i w Kensington.

PORUSZANIE SIĘ PO MIEŚCIE

Transport publiczny

Starzejące się londyńskie metro – Underground, potocznie zwane *tube*, czyli „rura" – jest najszybszym środkiem komunikacji miejskiej. Kursuje od godz. 5.30 do północy; najbardziej zatłoczone jest w godzinach szczytu (8-9.30 i 17-18.30). Upewnijmy się, czy mamy ważny bilet i zatrzymajmy go do wyjścia przez elektroniczną bramkę. Jazda bez biletu jest niedopuszczalna. Opłaty są zróżnicowane według stref. Palenie wzbronione. Niedawno przedłużono linię Jubilee, łącząc Waterloo z Canary Wharf i Stratford.

Powyżej: Kolejarz gotów do pracy
Z prawej: Symbol metra

Kolejka Docklands Light Railway, uruchomiona w 1987 r., stanowi najlepszy sposób obejrzenia nowocześnie przebudowanych dawnych doków. Całkowicie zautomatyzowany pociąg kursuje na dwóch liniach: ze stacji metra Bank oraz Stratford do Island Gardens na Wyspie Psów i dalej na przeciwległą stronę rzeki przez Greenwich do Lewisham (uruchomiona w 1999 r.) oraz do Beckton. Kolejka funkcjonuje na podobnych zasadach jak metro.

Autobusy w Wielkim Londynie mają z przodu wyraźnie oznaczony numer i trasę. W większości pojazdów płaci się kierowcy, ale w starych Routemasterach, do których wsiada się z tyłu, bilety sprzedaje konduktor. W przeciwieństwie do metra, na niektórych liniach, wychodzących promieniście z Trafalgar Square, autobusy kursują co godzinę przez całą noc i są oznaczone literą N.

Bilety okresowe

One Day Travelcard to bilet całodzienny na nieograniczoną liczbę przejazdów metrem, autobusami, DLR i większością pociągów NR na obszarze Londynu. Kosztuje od £4,30 do £5,40, w zależności od liczby stref. Bilet jest ważny po 9.30 w dni powszednie i cały dzień w soboty, niedziele oraz dni wolne od pracy. Do nabycia na wszystkich stacjach metra i dworcach kolejowych. Można również kupić Travelcard na weekend i dla rodziny. Bilety tygodniowe (£11,90-26,70) i miesięczne (£45,70-102,60), do których potrzebne jest zdjęcie paszportowe, są ważne o każdej porze. W pierwszej strefie (centrum Londynu) można korzystać z karnetu zawierającego 10 biletów za £11,50.

Nie radzimy jeździć bez biletu lub z biletem niewłaściwym. Kara wynosi £1000 bez względu na powód.

Taksówki

Słynne czarne taksówki londyńskie są licencjonowane; licznik podaje opłatę ściśle wg taryfy. Kierowcy są dobrze wyszkoleni i muszą zdać egzamin z doskonałej znajomości ulic miasta, nim wyjadą w pierwszy kurs. Taksówkę można zatrzymać na ulicy lub wezwać telefonicznie (020-7272 0272).

Mini taksówki nie mogą rywalizować z taksówkami czarnymi na ulicy i zamawia się je telefonicznie lub ze specjalnego kiosku. Choć są tańsze niż czarne, nie gwarantują tak rzetelnej usługi. Należy w nich z góry ustalić opłatę, a ich kierowcy nie znają tak dobrze miasta.

Rejsy rzeczne

Wycieczki statkiem po rzece są najlepszym sposobem obejrzenia wielu londyńskich

Powyżej: Statki rzeczne łączą funkcje transportu i zwiedzania

budowli. City Cruises organizuje (tel. 020-7740 0400) organizuje co 40 min. przeprawy promowe z mola Westminster Pier obok Tower do Greenwich (£6,50 w jedną stronę, £8,00 w obie strony, dzieci pół ceny), zaś Catamaran Cruises oferuje regularne połączenie z Embankment do Greenwich (tel. 020-7987 1185). Inni przewoźnicy to Crown River Cruises (z Westminster do St. Katharine's Dock; tel. 020-7936 2033) i Thames River Services (z Westminster do Greenwich; tel. 020-7930 4097). Thames Clippers (tel. 020-7977 6892) zapewnia szybki dojazd z pominięciem wielu przystanków między Savoy Pier a Masthouse Terrace na Wyspie Psów.

Jeżeli poruszasz się w górę rzeki, najlepszy będzie przewoźnik o nazwie Westminster Passenger Service Association (tel. 020-7930 2062), który pływa z Westminster Pier do Kew, Richmond i Hampton Court od Wielkanocy do października. Informacje o pełnym rozkładzie rejsów można uzyskać w londyńskiej informacji turystycznej (tel. 020-7222 1234). Należy prosić o broszurkę Thames River Services.

Jazda samochodem

W Wielkiej Brytanii obowiązuje ruch lewostronny i następujące ograniczenia prędkości: 50 km/godz. w obrębie miasta, 96 km/godz. na drogach zwykłych z dala od zabudowań, 112 km/godz. na drogach dwupasmowych i autostradach. Za prowadzenie samochodu po wypiciu alkoholu grożą surowe kary. Kierowca i pasażerowie (również siedzący z tyłu auta) mają obowiązek zapiąć pasy bezpieczeństwa. Na pasach pierwszeństwo mają zawsze piesi.

Prowadzenie samochodu w Londynie, z jego labiryntem jednokierunkowych ulic, niecierpliwymi kierowcami, korkami i trudnościami z zaparkowaniem, może być koszmarem. Odradzamy je osobom nie znającym miasta. W centrum miasta wielkim problemem jest parkowanie; przy automatach jest ono nieco tańsze niż na parkingach, ale wolno tam stać tylko 2 godz. Trzeba niezwykle uważać, by nie pozostawić samochodu ani chwili dłużej i nie próbować wrzucać więcej pieniędzy po jego upływie. Jest to traktowane jak wykrocze-

nie, za które można zapłacić grzywnę £30. Po mieście krąży wielu kontrolerów gotowych wręczyć mandat.

Większość parkingów z parkometrami w centrum Londynu jest bezpłatna po godz. 18.30 w dni powszednie i przez całą niedzielę; w sobotę obowiązują różne przepisy. Zawsze jednak trzeba to sprawdzić na parkometrze.

Nie wolno parkować samochodu na podwójnych żółtych liniach lub na miejscach zastrzeżonych dla mieszkańców czy posiadaczy zezwolenia, bo zwykle zostaje on wtedy unieruchomiony blokadą lub wywieziony, a właściciel płaci wysoki mandat i naraża się na kłopot. za jazdę po centrum Londynu w godz. 7.00-18.30 od pon. do pt. wprowadzono opłatę £5.

Wypożyczanie samochodów

Wypożyczyć samochód może każdy, kto ukończył 21 lat i posiada prawo jazdy co najmniej od roku. Koszt wypożyczenia obejmuje zazwyczaj ubezpieczenie. Nie obejmuje ubezpieczenia od uszkodzenia wnętrza auta, kół i opon w wypadku, ani ubezpieczenia dla osób prowadzących ten samochód bez zgody wypożyczalni. Niektóre firmy oferują promocyjne ceny weekendowe i wakacyjne.

Firmy wypożyczające samochody
Avis: 08700 100287
Budget: 0800 181181
Easyrentacar: www.easyrentacar.com
Europcar: 08706 075000
Hertz Rent-a-car: 08708 448844
Holiday Autos: www.holidayautos.co.uk

Parkingi całodobowe

W centrum Londynu jest pewna liczba parkingów całodobowych NCP (National Car Parks) – tel. 020-7404 3777. Na West Endzie wygodne są parkingi przy Brewer Street, Upper St Martin's Lane i Wardour Street. Opłaty są różne, ale zawsze wysokie: od £7 do £13 za 3 godziny.

Całodobowa pomoc drogowa
AA: tel. 0800 887766
RAC: tel. 0800 828282
Green Flag Emergency Assistance: tel. 0800 400600

INFORMACJA TURYSTYCZNA

Oficjalną organizacja turystyczną w Londynie jest London Tourist Board (LTB). Udziela ona informacji ogólnych oraz rezerwuje hotele, bilety teatralne i wycieczkowe w następujących centrach informacji turystycznej: lotnisko Heathrow – terminale 1, 2 i 3 (w holu metra, codz. 8.00-18.00 oraz w hali przylotów terminalu 3, codz. 6.00-23.00); międzynarodowy dworzec Waterloo – hala przyjazdów (codz. 8.30-22.30); Victoria Station (w lecie: codz. 8.00-19.00, w zimie pon.-sob. 8.00-18.00, niedz. 8.30-16.00) i Liverpool Street Station (pon.-pt. 8.00-18.00, sob. i niedz. 8.45-17.30).

Można tam się zwrócić tylko osobiście. Telefonicznych informacji udzielają jedynie lokalne biura turystyczne, np. w Greenwich (tel. 020-8858 6376). Automatyczna informacja ogólna LTB (tel. 020-7932 2000). Szczegółowe informacje na różne tematy, np. o najbliższych imprezach, podaje automatyczna informacja: tel. 020-7971 0026. Strona internetowa LTB: www.londontouristboard.com.

Centra Informacji Turystycznej (TIC), dysponujące mapami, rozkładami jazdy i udzielające rad, znajdują się na stacjach metra: Victoria, Piccadilly Circus, Oxford Circus, Euston, Liverpool Street, King's Cross i St James's Park.

Britain Visitor Centre, 1 Regent Street, udziela wszechstronnej informacji na temat podróżowania, noclegów, rozrywki i zwiedzania oraz dokonuje rezerwacji na terenie całej Wielkiej Brytanii. Czynne pon. 9.30-18.30, wt.-pt. 9.00-18.30, w weekendy 10.00-16.00.

Inne informacje telefoniczne
London Travel Information (całodobowa) 020-7222 1234
Artsline, informacja dla niepełnosprawnych 020-7388 2227
National Trust 020-7222 9251

WYMIANA WALUT

Banki są czynne od pon. do pt. w godz. 9.30-16.00/16.30, a niektóre również w sobotę rano. Główne banki (Lloyds, Barclays, HSBC i National Westminster) mieszczą się przy głównych ulicach i mają zbliżone kursy wymiany walut. Nie pobierają opłat od szterlingowych czeków podróżnych. W londyńskich oddziałach własnego banku nie płaci się również za realizację czeku wystawionego w innej walucie. Jednak za wymianę gotówki na inną walutę i pobranie gotówki na kartę pobierana jest prowizja. Na zewnątrz większości banków znajdują się bankomaty.

Kantory wymiany walut prowadzą niektóre biura podróży, np. Thomas Cook; bywaja także w większych domach handlowych. Jest też wiele prywatnych kantorów wymiany w całym Londynie, ale trzeba być ostrożnym, by nie zostać oszukanym. Przy korzystaniu z ich usług warto sprawdzić, czy posiadają rekomendację London Tourist Board. Do cieszących się dobrą opinią należy sieć Chequepoint, z całodobowymi filiami przy Piccadilly Circus, Marble Arch, Earl's Court i stacji metra Bayswater.

Karty kredytowe są powszechnie akceptowane w sklepach, hotelach i restauracjach, są jednak wyjątki od tej reguły.

Napiwki
Dobra usługa w restauracji i hotelu, a także taksówkarza, fryzjera, bagażowego i przewodnika wycieczki powinna być wynagrodzona napiwkiem w wysokości co najmniej 10%. Z innymi usługami należy być ostrożniejszym, bo można kogoś obrazić. Nie daje się napiwków w pubach, teatrach i kinach. Restauracje dodają automatycznie do rachunku 10-15% za obsługę, co powinno być wyszczególnione w cenniku, by nie zapłacić podwójnie, zwłaszcza jesli korzysta się z karty kredytowej. Jeśli miejsce na kwotę w kwicie do

Powyżej: Wydeptana ścieżka z lochów do miejsca straceń

karty kredytowej pozostawiono puste, jest to sygnał, że oczekują od klienta napiwku. Nie należy też płacić napiwku, jeśli obsługa nie była zadowalająca.

TELEKOMUNIKACJA

Telefon

Automaty British Telecom przyjmują monety, karty telefoniczne, które są do nabycia na poczcie i w kioskach z gazetami, oraz plastikowe karty kredytowe.

Numer bezpośredni do całego Londynu to 020, a następnie 8-cyfrowy numer lokalny. Dawny numer 7-cyfrowy należy poprzedzić cyfrą 7 dla Londynu centralnego, cyfrą 8 dla peryferii.

Telefonowanie za granicę

Dzwoniąc za granicę, należy wybrać kod międzynarodowy 00, następnie kod kraju: Polski (48), Australii (61), Francji (33), Niemiec (49), Włoch (39), Japonii (81), Holandii (31), Hiszpanii (34), USA (1).

Kawiarnie internetowe

Coraz większa liczba kawiarni internetowych ułatwia wysyłanie poczty elektronicznej. Kilka przydatnych adresów: Cyberia, 39 Whitfield Street, W1 (obok stacji metra Goodge Street); Café Internet, 22-24 Buckingham Palace Road, SW1 (obok Victoria Station); easyEverything, 358 Oxford Street, W1 (obok stacji metra Bond Street); Cyberspy, 15 Golden Square, W1 (obok stacji metra Tottenham Court Road).

Ważne telefony

Nagłe wypadki – pogotowie ratunkowe, policja, straż pożarna: 999
Operator (w przypadku trudności z połączeniem dla numerów w Wielkiej Brytanii): 100
Operator międzynarodowy: 155
Informacja o numerach krajowych: 192
Informacja o numerach międzynarodowych: 153
Zegarynka: 123

Poczta

Większość urzędów pocztowych czynna jest od pon. do pt. 9.00-17.30, w sob. 9.00--12.00. Znaczki pocztowe kupuje się na poczcie lub w automatach przed urzędami pocztowymi, a także w niektórych kioskach z gazetami i sklepach. Są dwie kategorie przesyłek: list pierwszej klasy w granicach Zjednoczonego Królestwa kosztuje 27 p, drugiej klasy 19 p. Pocztówka do krajów UE 36 p, do innych krajów na całym świecie 40 p.

Londyńska poczta główna przy Trafalgar Square, po wschodniej stronie kościoła St Martin-in-the-Fields, czynna jest od pon. do pt. 8.00-20.00, sob. 9.00-20.00. W każdej dzielnicy jest wiele lokalnych urzędów pocztowych.

POMOC MEDYCZNA

W bardzo poważnych nagłych wypadkach należy dzwonić pod numer 999, by wezwać pogotowie, straż pożarną lub policję. W innych, należy zadzwonić do informacji o numerach: tel. 192, i poprosić o podanie numeru najbliższego posterunku policji lub szpitala pełniącego ostry dyżur.

Obywatel polski, legitymujący się polskim paszportem, jest uprawniony do korzystania w Wielkiej Brytanii ze świadczeń zdrowotnych wyłącznie państwowej służby zdrowia.

Opieka medyczna i stomatologiczna w nagłych przypadkach:
Great Chapel Street Medical Centre, 13 Great Chapel Street, W1 (tel. 020-7437 9360) – klinika National Health Service

Z prawej: Tu wrzucamy wieści do domu

(Państwowej Służby Zdrowia), przyjmuje wszystkich bez uprzednich zapisów – po południu, od pon. do pt.
Nagłe problemy stomatologiczne: Eastman's Dental Hospital, tel. 020-7915 1000.
Apteki: Boots to największa w Londynie sieć aptek-drogerii, które realizują recepty lekarskie. Filia przy 114 Queensway, W2, otwarta jest codziennie do 22.00, Bliss Chemist przy Marble Arch codziennie do północy.

RZECZY ZAGUBIONE

W sprawie przedmiotów zagubionych w pojazdach komunikacji miejskiej należy się skontaktować z biurem rzeczy znalezionych – London Transport Lost Property, 200 Baker Street, NW1 (tel. 020-7486 2496), pon.-pt. 9.30-14.00.

PRZECHOWALNIE BAGAŻU

Na niemal wszystkich większych dworcach kolejowych znajdują się przechowalnie bagażu, w których na krótki czas można zostawić walizki, i/lub zamykane schowki na bagaż (na 1 dobę). Przechowalnie czynne są od 7.00 do 22.00 lub 23.00.

MEDIA

Gazety i czasopisma
Wśród najlepszych gazet, prawicę polityczną reprezentują „The Times" i „Daily Telegraph", lewicę „The Guardian", a centrum – „The Independent". Poza tym wychodzi „Financial Times" i tygodnik „European".
Brukowce w rodzaju „The Sun", „The Star" i „The Mirror" mają mniejszy format i zajmują się plotkami. Do średniej klasy gazet zalicza się „Daily Mail" i „Daily Express". Większość gazet ma kolorowe dodatki niedzielne.
Gazety z programami imprez w Londynie to przede wszystkim wychodzący w każdą środę tygodnik „Time Out", a także lokalna londyńska „Evening Standard", ukazująca się w dni powszednie w porze lunchu. Oprócz głównych wiadomości międzynarodowych, zawiera przede wszystkim informacje o wydarzeniach w stolicy i bardzo dużo ogłoszeń. Podobny charakter ma też bezpłatna gazeta Metro, która ukazuje się rano w dni powszednie. Zagraniczne czasopisma i gazety można dostać w następujących sklepach:
Capital Newsagents, 48 Old Compton Street, W1
Moroni's of Soho, 68, Old Compton Street, W1
Selfridges, Oxford Street, W1
WHSmiths – w większości dużych filii tej sieci w centrum oraz na głównych dworcach kolejowych.

Telewizja
Telewizja brytyjska ma pięć głównych programów: BBC1, BBC2, ITV, Channel 4 i Channel 5. Ma opinię najlepszej telewizji na świecie. Jednak rozwój telewizji satelitarnej i kablowej zmusza stacje telewizyjne do przyciągania masowego widza programami typu seriali, sprawozdań sportowych i komedii. Telewizja publiczna BBC nie jest uzależniona od reklam, natomiast programy niezależne finansowane są z reklam. BBC2 emituje poważniejsze programy niż BBC1, a Channel 4, bardziej postępowy niż ITV, produkuje filmy i programy specjalistyczne. W ostatnich latach coraz popularniejsze w domach Brytyjczyków stają się anteny satelitarne, dostarczające im przez okrągłą dobę wiadomości, muzykę, filmy i sport. Równie popularna jest telewizja kablowa, dająca większy wybór kanałów, a także telewizja cyfrowa.

Radio
W ostatnim czasie powstało wiele nowych, niezależnych radiostacji. Jednak na antenie brytyjskiej dominuje nadal BBC, z programami:
Radio 1 – 98,8 FM, głównie muzyka pop.
Radio 2 – 89,1 FM, lekka muzyka i rozmowy.
Radio 3 – 91,3 FM, muzyka klasyczna.
Radio 4 – 93,5 FM, wiadomości, bieżące wydarzenia, słuchowiska.
Radio 5 – 909 MW, wiadomości ogólne, sport.
BBC London – 94,9 FM, muzyka, rozmowy, sprawy bieżące.

Najpopularniejsze radiostacje niezależne w Londynie:
Capital fm – 95,8 FM, przez całą dobę, muzyka pop
Capital Gold – 1548 MW, całą dobę, złote przeboje
London Newstalk – 1152 MW, wiadomości, dyskusje, telefony słuchaczy
Jazz fm – 102,2 FM, jazz przez całą dobę
Kiss fm – 100 FM, muzyka taneczna przez całą dobę.

NOCLEGI

Ceny hoteli w Londynie są wyższe niż w innych wielkich miastach Europy i nie zawsze odpowiadają jakości uzyskiwanych usług. Niektóre tanie hotele prezentują się strasznie, a wiele drogich – nijako.

Wymienione niżej hotele (prawie wszystkie w centrum Londynu) to wybór najlepszych, jakie miasto ma do zaoferowania dla każdej kieszeni, od zwykłych B&B (*bed & breakfast*, czyli łóżko i śniadanie) po najnowszą generację supermodnych hoteli o stonowanym wystroju. Jest też stara gwardia, jak Ritz, oraz małe, luksusowe, „domowe" hotele, nieco gorzej wyposażone, ale z bardziej serdeczną obsługą. Większość luksusowych hoteli znajduje się przy Mayfair. Najłatwiej znaleźć w miarę tani B&B w rejonie Victorii, Earl's Court, Bayswater i Bloomsbury.

W szczycie sezonu (Boże Narodzenie, Wielkanoc i od kwietnia do września) noclegi trzeba rezerwować z dużym wyprzedzeniem. Rezerwację prowadzi London Tourist Board poprzez swoje centra informacji lub telefonicznie (tylko karty kredytowe lub debetowe): 020-7604 2890. Przez pozostałą część roku wiele hoteli oferuje zniżki w weekendy. Warto też poszukać tańszych okazji w dużych hotelach, zwłaszcza, gdy rezerwujemy w ostatniej chwili.

B&B są alternatywą dla bezosobowych hoteli. Są to noclegi w prywatnym domu. London Bed & Breakfast Agency (tel. 020-7586 2768) ma w swoim rejestrze około 200 takich domów. Ceny wynoszą od £40 do £80 za nocleg w pokoju dwuosobowym. Uptown Reservations (tel. 020-7351 3445) ma mniejszy, ale bardziej luksusowy wybór – pokój dwuosobowy z łazienką kosztuje £85.

W Londynie jest siedem schronisk młodzieżowych Youth Hostel Association. Łóżko w sali wieloosobowej kosztuje £16-22 za dobę, tel. do YHA: 01629 592600. Dobry hotel to Generator (tel. 020-7388 7666), w stylowym, futurystycznym bloku przy Compton Place w Bloomsbury. Ceny są tam wyższe niż w schroniskach YHA, ale nie śpi się na sali z obcymi osobami.

Podane niżej ceny (z włączonym 17,5% VAT) dotyczą najtańszego pokoju dwuosobowego i śniadania. Hotele B&B uwzględniają w cenniku VAT i śniadanie, luksusowe nie. Zwiększają one cenę jednego noclegu o £60-90.

Hotele

Luksusowe (powyżej £250)
The Berkeley
Wilton Place, SW1
tel. 020-7235 6000
faks 020-7235 4330
Hotel najwyższej klasy przy Knightsbridge, uważany za najlepszy w Wielkiej Brytanii. Stylowe wyposażenie przeniesiono tu ze starego Berkeley przy Piccadilly w 1972 r. Pokoje są wygodnie umeblowane w tradycyjnym angielskim stylu, niektóre mają tarasy. Na dachu jest basen w stylu rzymskiej łaźni, sala gimnastyczna i sauna. 168 pokoi.

The Capital
Basil Street, SW3
tel. 020-7589 5171
faks 020-7525 0011
e-mail: reservations@capitalhotel.co.uk
Zaciszna rezydencja w sercu Knightsbridge, zapewnia relaks, wygodę i uprzejmą obsługę, pełną findesieclowej elegancji. Restauracja z jedną gwiazdką u Michelina,

Z prawej: Znakomita obsługa

serwuje kuchnię francuską. 48 gustownie urządzonych pokoi.

The Connaught
Carlos Place, W1
tel. 020-7499 7070
faks 020-7495 3262
e-mail: info@the-connaught.co.uk
Nie mający sobie równych bastion luksusu przy Mayfair, oferuje najlepszą angielską gościnność w starym stylu: nieskazitelną obsługę, restaurację o atmosferze klubu i 90 eleganckich pokoi.

Hempel
31-35 Craven Hill Gardens, W2
tel. 020-7298 9000
faks 020-7402 4666
e-mail: the-hempel@easynet.co.uk
Hotel przy Bayswater, wyróżnia się wśród innych nadzwyczajnym wyglądem. Choć jest to majstersztyk estetyczny, zaprojektowany został tak dziwacznie, że czasem trudno znaleźć toaletę.

The Metropolitan
19 Old Park Lane, W1
tel. 020-7447 1000
faks 020-7447 1100
e-mail: res@metropolitan.co.uk
Niesłychanie modny nowy hotel przy Mayfair, z supermodelami wśród gości i obsługą w najmodniejszych uniformach. Doskonała japońska restauracja, ekskluzywny bar tylko dla gości hotelowych. 155 surowo, minimalistycznie urządzonych pokoi.

One Aldwych
1 Aldwych, WC2
tel. 020-7300 1000
faks 020-7300 1001
e-mail: sales@onealdwych.co.uk

Elegancki i stylowy, jeden z nowych hoteli Londynu, w dawnym edwardiańskim banku. Świetne, wysokiej klasy restauracje, basen z podwodną muzyką i bajecznymi łazienkami – z wannami z czarnego marmuru i telewizorami. 105 pokoi.

The Ritz
150 Piccadilly, W1
tel. 020-7493 8181
faks 020-7493 2687
e-mail: inquire@theritzhotel.co.uk
Ponadczasowy hotel o nastroju dekadenckim na całym świecie kojarzy się ze stylem i klasą. Nawet, jeśli tu się nie zatrzymamy, warto przyjść na śniadanie lub herbatę. 131 pokoi.

The Savoy
Strand, WC2
tel. 020-7836 4343
faks 020-7240 6040
e-mail: info@the-savoy.co.uk
Luksusowy hotel „z atmosferą". Słynie z herbatek, dystyngowanej restauracji Grill Room i perfekcyjnej obsługi. 207 pokoi w stylu *art déco*, ze wspaniałymi łazienkami w marmurach.

Drogie (£170-250)
Basil Street Hotel
Basil Street, SW3
tel. 020-7581 3311
faks 020-7581 3693
e-mail: thebasil@aol.com
Staroświecki hotel przy Knightsbridge, pełen angielskigo uroku. Zbudowany w 1910 r., jest prywatną własnością i przyciąga stałą klientelę – tradycyjnych gości z prowincji. 95 wygodnych, tradycyjnych pokoi. Klub tylko dla pań.

The Beaufort
33 Beaufort Gardens, SW3
tel. 020-7584 5252
faks 020-7589 2834
Doskonały, nieduży hotel w kamienicy przy eleganckim placu przy Knightsbridge czyni wielkie wysiłki, by utrzymać reputację. Goście dysponują kluczem do drzwi wejściowych, zamawiają posiłki do pokoju i mogą korzystać z pobliskiej sali gimnastycznej – wszystko wliczone w cenę.

Powyżej: Goście hotelu Blakes reprezentują przemysł rozrywkowy

28 pokoi w pastelowych kolorach, w każdym znajduje się karafka brandy, szwajcarskie czekoladki, owoce, kwiaty. W każdym pokoju jest nawet parasol.

Blakes

33 Roland Gardens, SW7
tel. 020-7370 6701
faks 020-7373 0442
e-mail: blakes@easynet.co.uk
Egzotyczny, swobodny w stylu, niekonwencjonalny hotel, popularny wśród ludzi rozrywki – jest dziełem aktorki i projektantki wnętrz Anouski Hempel. 52 pokoje.

The Cadogan

75 Sloane Street, SW1
tel. 020-7235 7141
faks 020-7245 0994
e-mail: info@thecadogan.u-net.com
W tym pięknym edwardiańskim budynku mieszkała aktorka i znana piękność, Lily Langtry. Miał on też związek z Oscarem Wildem. Staroświecką elegancję połączono z nowoczesną wygodą. 62 pokoje.

Cannizaro House

West Side, Wimbledon Common, SW19
tel. 020-8879 1464
faks 020-8879 7338
Hotel w pięknej, XVIII-wiecznej wiejskiej posiadłości na skraju Wimbledon Common, to kawałek wsi w Londynie. Najciekawsze z 46 pokoi mieszczą się w starym budynku.

The Gore

189 Queen's Gate, SW7
tel. 020-7584 6601

faks 020-7589 8127
e-mail: sales@gorehotel.co.uk
Specyficzny hotel przy Kensington, zajmuje dwa wiktoriańskie pałacyki w pobliżu Royal Albert Hall. Każdy centymetr ścian pokrywają obrazy i sztychy. Świetne bistro i pełen życia bar, 54 pokoje.

The Goring

15 Beeston Place, SW1
tel. 020-7396 9000
faks 020-7834 4393
e-mail: reception@goringhotel.co.uk
Piękny hotel tuż za Buckingham Palace prowadzony przez rodzinę Goringów od 1910 r. Był wtedy pierwszym hotelem na świecie z łazienką i centralnym ogrzewaniem w każdym pokoju. 75 elegancko urządzonych pokoi.

Hazlitt's

6 Frith Street, W1
tel. 020-7434 1771
faks 020-7439 1524
e-mail: reservations@hazlitts.co.uk
Klasyczny B&B, popularny wśród ludzi mediów i literatów. Zajmuje trzy zabytkowe, XVIII-wieczne kamienice w Soho. 23 pokoje urzekająco umeblowane antykami, udekorowane roślinami i wiktoriańskimi dodatkami.

L'Hotel

28 Basil Street, SW3
tel. 020-7589 6286
faks 020-7823 7826
e-mail: lhotel@capitalgrp.co.uk
Siostrzany hotel wspaniałego hotelu Capital (patrz kategoria „luksusowe"), dwa budynki dalej to luksusowy B&B, pięknie urządzony w stylu francuskiej prowincji. 12 pokoi, świetny nowoczesny bar i bistro.

myhotel bloomsbury

11-13 Bayley Street, WC1
tel. 020-7667 6000
faks 020-7667 6001
e-mail: guest_services@myhotels.co.uk
Nowy hotel, założony przez spółkę Conran Design zgodnie z zasadami fengshui, cechuje oszczędna elegancja. Zapewniona cisza, a goście mają do dyspozycji osobistą obsługę. 76 pokoi.

Z lewej: Staroświecka elegancja hotelu Cadogan

St Martin's Lane
45 St Martin's Lane, WC2
tel. 020-7300 5500
faks 020-7300 5501
Najmodniejszy obecnie hotel w Londynie, założony przez amerykańskiego przedsiębiorcę Iana Schragera i francuskiego projektanta Philippe Starcka. Oryginalne oświetlenie, zwariowane umeblowanie, dobre i drogie jedzenie, 204 zabawne, oślepiająco białe pokoje.

Tower Thistle Hotel
St Katharine's Way, E1
tel. 020-7481 2575
faks 020-7481 3799
Brak uroku tego dużego, nowoczesnego hotelu rekompensuje usytuowanie nad Tamizą, w pobliżu twierdzy i mostu Tower oraz doku św. Katarzyny. Wygodny dla biznesmenów, którzy chcą być blisko City. 801 pokoi.

Umiarkowanie drogie (£90-170)
Abbey Court
20 Pembridge Gardens, W2
tel. 020-7221 7518
faks 020-7792 0858
e-mail: abbeyhotel@aol.com
W pięknie odrestaurowanej kamienicy na Notting Hill, z wielką atencją dla szczegółów. Pokoje urządzone w angielskim stylu wiejskim, łazienki z włoskiego marmuru, z wirami wodnymi. 22 pokoje.

Academy Hotel
17-25 Gower Street, WC1
tel. 020-7631 4115
faks 020-7636 3442
e-mail: resacademy@etontownhouse.com
Zajmuje pięć zmodernizowanych kamienic georgiańskich w literackiej dzielnicy Bloomsbury. Sala jadalna ma wystrój współczesny, 48 pokoi – bardziej tradycyjny. Część pokoi wychodzi na mały, otoczony murem ogród.

Durrants Hotel
George Street, W1
tel. 020-7487 5533
faks 020-7487 3510
Położony na północ od Oxford Street, zaciszny hotel rodzinny ze staroświecką atmosferą wiejskiego zajazdu. Sale ogólne wyłożone boazerią ze starego drewna. Pokoje

niedawno odnowione. Dobra cena, jak na tę okolicę. 97 pokoi.

Five Sumner Place
5 Sumner Place, SW7
tel. 020-7584 7586
faks 020-823 9962
e-mail: reservations@sumnerplace.com
Dystyngowany B&B, z piękną oszkloną werandą z salą jadalną i 11 dobrze wyposażonymi pokojami.

Knightsbridge Green Hotel
159 Knightsbridge, SW1
tel. 020-7584 6274
faks 020-7225 1635
e-mail: thekghotel@aol.com
B&B w kamienicy ukrytej między Harrodsem a Hyde Parkiem, z 27 współcześnie urządzonymi pokojami.

Miller's
111A Westbourne Grove, W2
tel. 020-7243 1024
faks 020-7243 1064
e-mail: enquiries@millersuk.com
Specyficzny B&B, którego właścicielem jest znany zbieracz antyków. Hotel wygląda więc jak sklep z antykami. 7 luksusowych pokoi, urządzonych na cześć poetów romantycznych.

Number Sixteen
16 Sumner Place, SW7
tel. 020-7589 5232
faks 020-7584 8615
e-mail:
reservations@numbersixteenhotel.co.uk
Cztery połączone domy szeregowe w cichej, bocznej uliczce South Kensington mieszczą B&B urządzone w wykwintnym, choć swobodnym stylu wiejskim. 36 pokoi.

Portobello Hotel
22 Stanley Gardens, W11
tel. 020-7727 2777
faks 020-7792 9641
Nieco ekscentryczny, urządzony w mieszanym – wiktoriańskim, marokańskim i orientalnym stylu, modny hotel w Notting Hill, blisko targu antykami przy Portobello Road. 24 pokoje – od maleńkich „dziupli" do apartamentów z wielkimi łożami.

Rubens

Buckingham Palace Road, Victoria, SW1
tel. 020-7834 6600
faks 020-7828 5401

Idealnie położony naprzeciwko Royal Mews i niedaleko Buckingham Palace, zmodernizowany hotel, z wnętrzami w pastelowych kolorach i eleganckimi meblami; zapewnia tradycyjny, wysoki standard. 174 pokoje.

Tophams Belgravia

28 Ebury Street, SW1
tel. 020-7730 8147
faks 020-7823 5966
e-mail: tophams_belgravia@compuserve.com

Staroświecki hotel rodzinny, zajmujący pięć połączonych domów szeregowych przy ruchliwej ulicy w dzielnicy Victorii; ma swą wierną klientelę. 39 małych pokoi.

Wilbraham Hotel

71-75 Wilbraham Place, SW1
tel. 020-7730 8296
faks 020-7730 6815

Prywatny, staroświecki, czarujący hotel w stylu angielskim, dobrej jakości i w otoczeniu ekskluzywnej Belgravii. Posiłki serwowane w wyłożonym boazerią Butlery Bar. 47 dobrze utrzymanych pokoi, choć bez rozrzutnych dodatków.

The Willet

32 Sloane Gardens, SW1
tel. 020-7824 8415
faks 020-7730 4830

Doskonałej jakości mały hotel w modnej dzielnicy – w cichym zaułku, wśród wiktoriańskich domów tarasowych przy Sloane Square. Zmodernizowany w lekkim, przestrzennym stylu. 19 pokoi.

Tanie (poniżej £90)

Abbey House

11 Vicarage Gate, W8
tel. 020-7727 2594

Wspaniały wiktoriański dom w bocznej uliczce Kensington. Podstawowe umeblowanie, ale dobrze utrzymany i co roku odnawiany. 15 pokoi (bez łazienek). Nie można płacić kartą.

County Hall Travel Inn

Belvedere Road, SE1
tel. 020-7902 1600
faks 020-7902 1619

Duży hotel taniej sieci; w części dawnego budynku ratusza (*patrz s. 37*) nad Tamizą. Ceny jego 313 pokoi są bardzo korzystne, zważywszy na standard i lokalizację hotelu.

Edward Lear Hotel

28-30 Seymour Street, W1
tel. 020-7402 5401
faks 020-7706 3766
e-mail: edwardlear@aol.com

W georgiańskim budynku blisko Marble Arch, gdzie kiedyś mieszkał wiktoriański malarz i poeta Edward Lear. 31 wygodnych, nowoczesnych pokoi.

Elizabeth Hotel

37 Eccleston Square, SW1
tel. 020-7828 6812
faks 020-7828 6814

Elegancki prywatny hotel przy zabytkowym placu w Pimlico, niedaleko Victorii. Goście korzystają z ogrodu hotelowego i kortu tenisowego. 37 małych pokoi, większość z łazienkami.

Hampstead Village Guesthouse

2 Kemplay Road, NW3
tel. 020-7435 8679

U góry: Hotel Portbello blisko słynnego targu

faks 020-7794 0254
e-mail: bvguesthouse@dial.pipex.com
Hotel B&B w późnowiktoriańskim budynku, blisko centrum Hampstead. W pokojach pamiątki rodzinne i ciekawe antyki. Śniadanie serwowane w kuchni lub w ogródku na dziedzińcu. 6 pokoi, większość z łazienkami.

Windermere

142-144 Warwick Way, SW1
tel. 020-7834 5163
faks 020-7630 8831
e-mail: windermere@compuserve.com
Jeden z najlepszych spośród tanich hoteli koło dworca Victoria, ma ładny salonik i restaurację w suterenie. 22 pogodne pokoje. Nieco przeszkadza ruch uliczny, ale są podwójne okna.

Woodville House

107 Ebury Street, SW1
tel. 020-7730 1048
faks 020-7730 2574
Jeden z najlepszych zwykłych B&B w Victorii, którego właściciele słyną z uprzejmości. Cichsze pokoje znajdują się w tylnej części budynku. Goście mogą korzystać ze wspólnej kuchni i ogrodu. 12 skromnie urządzonych pokoi.

Powyżej: W National Gallery
Z prawej: Miasto w kwiatach

ATRAKCJE

Karnet muzealny

Osoby planujące dokładniejsze zwiedzanie Londynu, mogą wykupić karnet London Pass. Uprawnia on do wstępu do 60 głównych atrakcyjnych obiektów i muzeów (m.in.: Tower of London, Buckingham Palace, etc.). 3-dniowy karnet kosztuje £52 (£34 dla dzieci). Karnety można nabyć przez internet www.londonpass.com i w każdym kantorze wymiany walut na dworcu Victoria i w innych centralnych punktach miasta.

Wycieczki i spacery

Kilka firm organizuje wycieczki odkrytym autobusem po centrum Londynu. W jednych komentarz jest „na żywo", w innych z taśmy. Wycieczki trwają około 90 minut, ale można wysiadać i wsiadać na dowolnych przystankach. Trasa zaczyna się przeważnie przy Piccadilly Circus lub Trafalgar Square, bilet kosztuje około £12. Można się wybrać na wycieczkę czarną taksówką. Kosztuje ona £65 za 2 godziny i wcale nie jest droższa, jeśli pojedzie 5 osób, a trasę można uzgodnić z kierowcą.

Zgłoszenia: Black Taxi Tours of London, tel. 020-7289 4371.

Organizowanych jest też wiele ciekawych spacerów po Londynie – tematycznych lub po konkretnej części miasta. Uznana firma Original London Walks (020-7624 3978) oferuje wielką różnorodność spacerów – po pubach i po National Gallery, a także śladami Kuby Rozpruwacza i Beatlesów.

PRZYDATNE TELEFONY

Lotniska

Gatwick: 01403 21253
Heathrow: 08700 000 123
London City: 020 7646 0000
Luton: 01582 405 100
Stansted: 01279 662 570

Linie lotnicze

British Airways: 0870 850 9850
British Midland: 0870 607 0555
PLL LOT: 0845 6010 767

PRZYDATNE ADRESY

Placówki dyplomatyczne
Ambasada Rzeczpospolitej Polskiej
47 Portland Place, W1N 3AG
tel. 020-7580 4324/29
Konsulat Generalny Rzeczpospolitej Polskiej
73 New Cavendish Street, W1M 8LS
tel. 020-7580-5481

LEKTURA DODATKOWA

Przewoodnik: Londyn – od środka. Wydawnictwo RM. Przewodnik łączący wszechstronne informacje o obiektach ze wspaniałymi zdjęciami i zabawnym komentarzem. Stanowi bezcenną pomoc podczas zwiedzania oraz nie mającą sobie równych pamiątkę z podróży.
Przewodnik: Muzea i galerie. Londyn – od środka. Wydawnictwo RM. Aby jak najlepiej zwiedzić Londyn – prawdziwą skarbnicę dzieł sztuki – należy zawczasu zaplanować swój pobyt. Ta książka służy pomocą i jest źródłem wielu inspirujących i przydatnych informacji.

Clout, Hugh (wyd.), *The Times London History Atlas*. Times Books. Szczegółowe mapy i plany obrazujące rozwój miasta z ciekawym tekstem i ilustracjami.

Insight Compact Guide: London. Apa Publications. Praktyczny, wygodny do noszenia, tani przewodnik dla turystów.

Pepys, Samuel, *The Concise Pepys*. Opis naocznego świadka wielkiego pożaru Londynu i życia w XVII-wiecznym mieście.

Piper, David, *Artist's London*. Weidenfeld and Nicholson. Fascynujące obrazy Londynu poprzez wieki.

Richardson, John, *London and its People: A Social History*. Barrie and Jenkins. Opis życia biednych i bogatych londyńczyków od średniowiecza po dzień dzisiejszy.

Vansittart, Peter, *A Literary Companion: London*. John Murray. Podróż po Londynie z luminarzami literatury.

Wittich, John, *Discovering London's Parks and Squares*. Shire Publications. Przewodnik dla miłośników spacerów.

informacje praktyczne

100

Autorzy

11, 23, 30d, 32, 34d, 35, 43d, 44, 45, 49g, 50, 55g, 55d, 57d, 62, 64d, 65, 70, 72, 81, 84, 87, 93, 85	**Apa/LCP**
2/3, 25g, 26d, 30g, 36d, 38, 43g, 53, 78, 84, 99	**Apa/Glyn Genin**
51, 52, 62	**Apa/Bill Wassman**
strona tytułowa, 20, 21, 24, 37d, 39, 40d, 49d, 61, 68, 74, 79, 80, 87, 88, 90, 91, 94, 95, IV str. okładki	**Natasha Babaian**
14	**BBC Hulton Picture Library**
I strona okładki	**Joe Cornish/Stone**
83	**Andrew Eames**
12	**Fotomas**
40g	**Tony Halliday**
47	**Harrods**
60, 75, 77, 97	**Carlotta Junger**
63d	**Neil Menneer**
22, 25d, 28, 29, 33, 34, 36g, 41, 58d, 64g, 66d	**Robert Mort**
10, 15	**Museum of London**
16, 46, 82	**Richard T Nowitz**
63g	**Tony Page**
31	**Mike St Maur**
58g	**Spectrum Colour Library**
69	**Adam Woolfitt**
Kartografia	**David Priestley**
Projekt okładki	**Carlotta Junger**
Produkcja	**Tanvir Virdee**

INDEKS

Abbey Museum (Westminister) 44
Admiralizacja 14, 27
Albert Memorial 51
Albert, książę 16
Aldgate 15
Alfred, król Wessex 11
Apple Market 23
Apsley House 49

Ball Court 36
Bank of England 35
Banqueting House na Whitehall 13, 26
Bart's Gatehouse 58
Beauchamp Place 48
Belgrave Square 48
Belgravia 47, 48
Berkeley Square 32
Bermondsey 14
Bermondsey Square, targ 72
Berwick Market 24, 72
Big Ben 16
Blackfriars Bridge 15
Bloomsbury 14
Bond Street 69, 70
Brass Rubbing Centre 26
Brick Lane, targ 72
British Library 57
British Museum 11, 57
Brixton Market 72
Brown, Lancelot "Capability" 62
Bruton Street 32
Buckingham Palace 28
Burgh House 61
Burlington Arcade 32
Butler's Wharf 34

Cabinet War Rooms 27
Camden Market 72
Camden Passage 72
Canary Wharf 16
Carlton House 15
Carlton House Terrace 27
Carlyle House 46
Carnaby Street 29
Cenotaph 27
Chancery 57
Changing the Guard 25, 26, 28
Chapel of St John 34
Chapter House 44
Charing Cross 15

Charterhouse 12, 59
Chatham House 31
Chelsea 45-47
Chelsea Embankment 16
Chelsea Old Church 46
Chelsea Physic Garden 46
Chester Terrace 54
Cheyne Walk 46
Child & Co., bank 57
Chinatown 24
Christie's, dom aukcyjny 31
City of London 14, 16, 26, 33, 34-37
Clifford's Inn 12, 57
Clink Street Museum 41
Cloth Fair nr 41 59
College Garden 44
Columbia Road, targ 72
Cork Street 32
County Hall 37
Courtauld Institute 39
Coutts & Co., bank 57
Covent Garden 13, 21-23, 69, 71
Cremorne 47
Crosby Hall 47
Crown Jewels 34
Crypt Museum 55
Crystal Palace 15
Cumberland Basin 54
Cumberland Terrace 54
"Cutty Sark" 63

Dean's Yard 43
Design Museum 34
Diana, księżna Walii 51
Docklands 16
Downing Street 27
Dr Johnson's House 56

Earth Galleries 49
East End 14, 16
Eisenhower, Dwight D. 31, 32
Elżbieta I 13, 56, 63, 67
Embankment 16

FA Premier League Hall of Fame 37
Fenchurch Street 15
Fenton House 61
Fleet Street 12, 55-57

Gabriel's Wharf 39
Giełda królewska 35

„Gipsy Moth IV" 64
Globe, teatr 13, 40
Goldfinger Erno 53, 61
Gray's Inn, 12
Green Park 28
Greenwich 63-66
Greenwich Market 65, 72
Greenwich, park 65
Guildhall 12, 35, 36
Guildhall Library 36

Hampstead 61, 62
Hampstead Heath 62
Hampton Court Palace 66, 67
Harrods 48
Hays Wharf 41
Hayward Gallery 38
„HMS Belfast" 34, 41
Holborn 14
Horse Guards 14, 26
Horse Guards Parade 26
Houses of Parliament 16, 42, 44
Hyde Park 14, 15, 49-51
Hyde Park Corner 47

IMAX, kino 39
Imperial War Museum 41
Inns of Court 12, 57
Institute of Contemporary Arts 27
Izba Gniu 47
Izba Lordów 47

Johnson, Samuel 46, 55, 56
Jones, Inigo 13, 21, 23, 26, 28, 58, 63, 64
Justice Walk 46

Kalendarz imprez 82
Keats' House 61
Kensington 14, 71
Kensington Gardens 50
Kensington Palace 51
Kenwood House 62
Kew Gardens 62, 63
Kings Road 45, 71
Knightsbridge 48, 70, 71
Kolumna księcia Yorku 27
Kolumna Nelsona 25
kościoły
St Anne's 24
St Bartholomew-the-Great 58, 59
St Bartholomew-the-Less 59
St Bride's 55

St Dunstan-in-the-West 56
St Giles in the Fields 21
St James's 30
St John's Smith Square 44
St Magnus the Martyr 35
St Margaret Westminster 44
St Martin-in-the-Fields 25, 26
St Marylebone 55
St Mary-le-Bow 35
St Mary Woolnoth 35
St Michael Cornhill 37
St Paul's 23, 58
St Paul's Cathedral 11, 14, 58, 59
St Peter upon Cornhill 37
St Stephen Walbrook 35
Temple Church 57

Lady Chapel 43
Lambeth 14
Lambeth Palace 42
Lancaster House 28
Lawrence Street 46
Leadenhall Market 37, 72
Leicester Square 24
Lincoln's Inn 12, 57
Lloyda, gmach 16, 37
London Aquarium 37
London Bridge 15
London Coliseum 79
London Eye 38
London IMAX Cinema 39
London Palladium 29
London ZOO 54
Lord North Street 44

Madame Tussaud's 55
Mansion House 12, 14, 35
Marble Arch 21
Marx Memorial Library 59
Marlborough House 28
Marylebone Park 15, 53
Mayfair 14, 69-70
Millennium Bridge 40
Millennium Dome 16, 65
Monument 35
Morton's Tower 42
Mount Street 32
Museum of Garden History 42
Museum of London 11, 36
Museum of the Moving Image 39

Nash, John 15, 27, 28, 41, 53, 54, 55

National Film Theatre 38, 80
National Gallery 25
National Maritime Museum 65
National Portrait Gallery 25
Natural History Museum 49
NatWest Tower 37
Neal's Yard 21
North, lord 12
Notre Dame de France (kościół francuski) 24
Notting Hill 52, 53
Notting Hill Carnival 52

Octagon House 54
Old Bailey 58
Old Barrack Yard 47
Old Hall 57
Old Royal Observatory 65
Old Sessions House 59
Opactwo Westminsterskie *patrz* Westminster Abbey
Open-Air Theatre 55
Oxford Street 69
Oxo Tower 39

Palace of Westminster 16, 26, 44
Pall Mall 31
pałac arcybiskupa Canterbury 41, 42
Pałac Whitehall 12
Park Crescent 54
Park Village West 54
Parlament 42
Parliament Hill 62
Petticoat Lane, targ 72
Photographers' Galery 23
Piccadilly 70
Piccadilly Circus 30, 33
Pickering Place 31
Planetarium 55
Poets' Corner 43
Południk zerowy 65
Portobello Road, bazar 53
Primrose Hill 54
Prince Henry's Room 57
Purcell Room 38

Queen Elizabeth Hall 38
Queen Mary's Gardens 55
Queen's Chapel na St James's 13, 28
Queen's Gallery 28
Queen's House 13, 64
Queen's Walk 37

Rada Hrabstwa Londynu 16
Ranger's House 65
Regent Street 15, 30, 69
Regent's Park 15, 53-55
Ricci, Sebastiano 45
Rima, pomnik 50
Rock Circus 30
Rose, teatr 13, 40
Royal Academy of Arts 32
Royal Botanic Gardens 62
Royal Ceremonial Collection *patrz* Kensington Palace
Royal College of Physicians 54
Royal Court, teatr 45, 79
Royal Courts of Justice 57
Royal Exchange 35
Royal Festival Hall 38
Royal Hospital 45
Royal Mews 28
Royal National Theatre 39, 79
Royal Naval College 65
Royal Opera House 16, 22, 79

Sadler's Wells 79
Science Museum 49
Serpentine Gallery 50
Serpentine, jeziorko 50
Shakespeare (Szekspir), William 13, 79
Sir John Soane's Museum 57
Sloane Square 45
Smithfield 58, 59, 72
Soho 14, 24, 71
South Bank 38-41
Southwark Bridge 15
Southwark Cathedral 41
Spaniard's Inn 62
Spitalfields 14, **72**
State Apartments *patrz* Kensington Palace
St Bartholomew's, szpital 58
St James's 14
St James's Palace 12, 28
St James's Park 27
St James's Square 31
St Katharine's Dock 15, 34
St Katharine's Hospital 54
St Marylebone 14
St Pancras 14
St Paul's Cathedral 11, 14, 58, 59
Strand 14
świątynia Mitry 35

Tate Gallery 44
Tate Gallery of Modern Art 16, 39
teatr 79
Temple 12, 57
Temple Lodge 50
Theatre Museum 22
Theatre Royal Drury Lane 22
Time-Life, budynek 32
Tower Bridge 34
Tower of London 11, 12, 33
Tradescant, John 42
Trafalgar Square 25
Traitor's Gate 34
Transport Museum 23
Trinity House 33
Trinity Square 11
Trinity Square Gardens 33
Trooping the Colour 26
Trophy Gates 66

Vauxhall, most 15
Victoria and Albert Museum 16, 48
Vinopolis 40, 41

Waterloo Bridge 15
Westminster 11, 12, 14
Westminster Abbey 23, 26, 43
Westminster Hall 44
Westminster, most 15
Westminster School 43
White Tower 33, 34
Whitehall 14, 26, 27
Wielka Międzynarodowa Wystawa
    (1851) 15, 50
wielka zaraza 13
wielki pożar Londynu 13, 35, 40, 55,
    58, 59
Wieża Wiktorii 16
Wine Office Court 56
Wren, Christopher 12, 13, 21, 26, 28,
    30, 35, 37, 40, 43, 45, 51, 57, 58,
    63, 65, 66, 67
Ye Olde Chesire Cheese, zabytkowy
    pub 56

ZOO 54